SZ
LITERATUR
KOFFER

Süddeutsche Zeitung Edition – Ausgewählt von Peter Graf

SZ
LITERATUR
KOFFER

Süddeutsche Zeitung Edition

MEIN PERSÖNLICHES REISETAGEBUCH

ITALIEN

Endlich Ferien!

Sogar in den Ferien, wo die Zeit sich genüsslich auszudehnen beginnt, und spürbar anders vergeht, als in unserem Alltag, fordern ganz unterschiedliche Bedürfnisse ihr Recht ein. Denn die Sehnsucht lässt alle Dinge blühen: den Wunsch nach ein wenig Ruhe und Entschleunigung ebenso, wie jenen nach Abenteuern oder der Lust, Neuem zu begegnen. Gleichzeitig hoffen wir natürlich auch, das wieder anzutreffen, was uns im letzten oder vorletzten Jahr so begeistert hat – sei es eine bestimmte Landschaft, ein kleiner Marktplatz oder eine Gasse: unser Lieblingsrestaurant.

Ob Abenteurer, Wanderer, Flaneur oder Müßiggänger, das vorliegende Reisebuch möchte in aller Bescheidenheit einige Entscheidungshilfen geben, ohne Sie davon abzuhalten, das zu tun, was Sie eigentlich tun wollen. Es bringt sie, wenn Sie möchten, lediglich auf andere Gedanken, unterhält Sie mit überraschenden Reiseerfahrungen berühmter Schriftsteller, gibt kulinarische Empfehlungen oder hält für Sie augenzwinkernd einen Soundtrack mit den geeigneten Urlaubsliedern bereit. Und – das ist wohl das Wichtigste – es gibt Ihnen Raum, Ihre eigenen Reiseerinnerungen aufzuschreiben. Und so wird dieses Urlaubsbuch zu ihrem individuellen und unvergleichlichem Reisetagebuch. Marcel Proust, dessen nach ihm benanntes Fragespiel Sie am Ende des Buches finden, notierte einmal: „Wir werden von einer Leidenschaft nur geheilt, wenn wir sie bis zum Letzten auskosten."

Von manchen Leidenschaften möchte man nicht geheilt werden. Es reicht völlig aus, wenn sie gestillt werden. Die Sehnsucht zu Reisen, gehört dazu.

In diesem Sinne
einen wunderschönen Urlaub!

REISEESSAY DES TAGES

EINE POST-STATION IN DEN ALPEN

Edith Wharton

Eine der größten Freuden auf Reisen ist doch die Suche nach Kontrasten, und für denjenigen, der sich dieser Suche verschrieben hat, kann es keine bessere Vorbereitung auf den Abstieg nach Italien hinunter geben als ein Aufenthalt in den Hochtälern der Schweiz. Von dieser Region des so offensichtlich Malerischen – nur dazu da, *le coeur à poesie facile* zu erfreuen –, in jene geistig so überaus verfeinerte Landschaft zu kommen, wo sogar das Gesicht der Natur von den Leidenschaften und Ideen der Menschen geprägt zu sein scheint, ist einer der beeindruckendsten Übergänge in der immer kleiner werdenden Palette solcher Erfahrungen.

Nirgendwo fühlt man diesen Kontrast stärker als in einem der Hochtäler Graubündens. Das Bilderbuchland der Schweizer Seen ist geographisch und in seiner Charakteristik zu weit entfernt von Italien, als daß man hier Vergleiche ziehen könnte. Das Spielzeug-Chalet, mit seinem Gehabe von sich selbst bewußter Sauberkeit, das einem das Gefühl vermittelt, es käme, wenn man das Dach hochhöbe, nur eine Anzahl von Bändern und Scheren darunter hervor, oder die glänzenden Walzen einer Spieldose, läßt eher an Kunsttischlerei als an Architektur denken; die gefegten und geschmückten Straßen, die säuberlich abgezirkelten Gärten, die ordentlich gebändigten Weinreben, sie stehen eher für das Paradies alter Jungfern und wurden hoffnungslos durcheinandergebracht durch etwas so Unpassendes wie ein Kunstwerk. In Graubünden jedoch, wo uns nur ein kahler grauer Paß von Italien trennt, fühlt man seinen Einfluß in negativem Sinne, nämlich gerade darin, wie schmutzig die Straßen sind, wie das Unkraut unten an den rauhen, schroffen Mauern wächst, wie die Fliegen um die unverhohlen präsentierten Misthaufen brummen. Auf angenehmere Weise zeigt sich derselbe Einfluß in den groben zentauernartigen Häusern, mit ihren schmiedeeisernen Fenstergittern und den Steinwappen, die über der würzig duftenden Dunkelheit der Ställe hängen. Dies sind Häuser von Menschen, die sich der Nähe Italiens bewußt sind, die die für einen heißeren Himmel entworfenen dicken Mauern, kleinen Fenster und hervorspringenden Dachtraufen auf die öden Höhen verpflanzt haben – vielleicht aus Einfallslosigkeit, vielleicht aus einem Impuls heraus, der ebenso sentimental ist wie unsere moderne Sammelleidenschaft. So lebhaft wird die Erinnerung an Italien wachgerufen, daß man beinahe erwartet, eine Zypresse an die abblätternden, pfirsichfarbenen Wände der *douane* des Dorfes sich lehnen zu sehen; aber genau da springt der Kontrast ins Auge. Die Zypresse und alles, wofür sie steht, sie fehlt.

Es ist während der Hochsaison in der Schweiz nicht leicht, auf ein Eckchen zu stoßen, das die Touristen nicht erobert hätten, aber in Splügen rauschen sie noch in einer Wolke von Postkutschenstaub vorüber oder sie halten nur an, um eine Hasche Paradiso zu leeren und eine rosige Forelle aus den Surettaseen hinunterzuschlingen. Man genießt diesen Ort daher um so mehr, als man immer das erfreuliche Schauspiel der armen irregeleiteten Hundertschaften vor Augen hat, die nur vorbeifahren; und von der günstigen Übersicht, die man von den einsamen Wiesen oberhalb des Dorfes hat, kann man die Menschenmassen beobachten, die nach Thusis oder Chiavenna hinunterfahren, und dabei so etwas empfinden wie die Genugtuung, von der die mittelalterlichen Scholasten glaubten, daß sie den Engeln zuteil würde, wenn sie auf die Verdammten hinunterblickten. Splügen bietet unendlich viele solcher Aussichtspunkte. An allen Seiten kann man von den mit Erlen gesäumten Ufern des Rheins durch Lärchendickicht, das von frisch entsprungenen Bächlein vibriert, auf grasbewachsene Höhen steigen, von wo aus man das Tal südwärts auf eine Unmenge von Gipfeln hin sich erstrecken sieht. Am Morgen sind diese hochgelegenen Wiesen heiß und lichtdurchflutet, und man ist froh über die roten Föhrenschneisen und die onyxfarbenen Wildbäche, die den Halbschatten noch kühler machen; doch gegen Abend, wenn die Scharren die Rasenhänge wie eine Spanne üppig fallenden Samtstoffs aussehen lassen, ist es herrlich auf breiten Felssimsen spazierenzugehen und zu beobachten, wie die Sonne sich aus dem Tal zurückzieht, wo die Mäher noch immer das Gras zu langen gebogenen Linien zusammenrechen, die wie die Furchen aussehen, die das Meer zieht, während die Föhrenwälder auf den östlichen Hängen immer schwärzer werden und der Schnee auf den Gipfeln langsam zu der Farbe kalter Asche verblaßt.

Die Landschaft ist einfach, weitläufig und heiter. Den Feldern wohnt noch das bedächtige Wiederkäuen vieler Generationen von Vieh inne, die Wälder bieten ihren Lebewesen kühle Geborgenheit, die Berge präsentieren sich eher mit derben, wettergegerbten Oberflächen als mit den subtilen Konturen der italienischen Alpen, die wie Falten wirken, die vom Nachdenken herrühren. Man hat das Gefühl, eine Szene vor sich zu haben, in der *nie etwas* geschehen ist; das Adjektiv, das sich aufdrängt, ist das selbe, mit dem Whitman die amerikanische Landschaft beschreibt – „die große *unbewußte* Landschaft meines Heimatlandes".

Die Schweiz ist wie ein Diner, das auf die altmodische Art serviert wird, indem man alle Speisen zugleich auf den Tisch bringt: jedes Tal hat seine Wiese voller Blumen, seine „schaurige" Felsenschlucht, seine Bergspitzen mit den Gemsen, seinen Wald und seinen Wasserfall. In Italien dagegen werden die Eindrücke in verschiedenen Gängen auf den Tisch gebracht, so daß das Erinnerungsvermögen in der Lage ist, die Landschaften zu unterscheiden, und zwar sogar ohne die Hilfe jenes Anflugs von menschlicher Individualität, für den die schönste italienische Landschaft im Grunde genommen nur die Szenerie abgibt. In

Splügen ist, wie bei den meisten Schweizer Landschaften, das Menschliche – die Zeichen, die auf die Gegenwart des Menschen verweisen – eher etwas Störendes als ein Höhepunkt. Das Dorf Splügen, das auf einem Felssims oberhalb des Rheins kauert, wendet die Rückseite seiner Häuser auf linkische Art der Aussicht zu, als wüßte es, daß seine Darbietung im Vergleich zu der gewaltigen der Natur eher ärmlich ausfällt. Zwischen diesen Häusern, die in planlosen Winkeln zueinander gebaut sind, geradeso wie Schachteln, die man hastig auf einem Regal aufgetürmt hat, schlängeln sich gepflasterte Straßen den Hügel hinauf, aber nach einigen Metern verwandeln sie sich in einfache Bergpfade, und das Weideland neigt sich auf recht unverfrorene Weise bis zu den Hintertüren des Dorfes hinab. Die Landwirtschaft scheint überhaupt der einzige Grund zu sein, warum der kleine Ort existiert. Ganz Splügen ist zur Mittsommerzeit so etwas wie ein einziger Arm am Ende einer Sense. Den ganzen Tag lang verteilen sich dann die gebeugten Gestalten – Männer, Frauen und Kinder, Großväter und fleißige Winzlinge – auf den Abhängen der Hügel in einem immer weiter werdenden Umkreis, unermüdlich mähen, rechen und häufen sie das Gras auf. Die unteren Hänge werden zuerst freigelegt, dann weicht das hohe Gras, dick mit Rittersporn, Bergnelken und Knabenkraut durchsetzt, bis zur oberen Föhrengrenze nach und nach vor der zunehmenden Flut der Mäher. Sogar auf dem Friedhof bei der hochgelegenen Kirche schwingen die Sensen zwischen Grabhügeln, die mit Glockenblumen und Türkenbund überwachsen sind, so daß man glauben könnte, noch der Staub von Generationen sorgsam wirtschaftender Dörfler bereichere die Ernte ihrer Nachkommen.

Dies ist denn auch das einzige Schicksal, das man sich für sie vorstellen kann. Die Vergangenheit eines solchen Ortes muß ebenso bukolisch gewesen sein wie seine Gegenwart: Der mittelalterliche Burgturm, der jetzt auf seinen hölzernen

Streben über dem Rhein langsam zerfällt, war sicherlich dort oben hingebaut worden, damit die Herren dieses Tales ein Auge auf das weidende Vieh haben und die Manöver der Mäher befehligen konnten. Die edlen Georgiis, die in den wappengeschmückten Häusern von Splügen wohnten und jetzt unter einem solchen Reichtum von Emblemen in der Kirche und auf dem Friedhof begraben liegen, müssen Experten für Düngemittel und Viehzucht gewesen sein; auch kann man sich, sogar für den Söldner mit diesem Namen, der im siebzehnten Jahrhundert lebte und dessen Epitaph ihn als einen „Hauptmann der Kohorten Seiner Majestät des Königs von Spanien" ausweist, keine ergreifenderen Emotionen bei seiner Heimkehr aus dem Krieg denken, als die, die das Gebimmel von Kuhglocken auf den Weiden und das Bild eines Tisches, der unter Rauchfleisch und gigantischen Käselaiben stöhnt, hervorruft.

Die Bauern auf den Feldern sind so ganz und gar ein Teil des Bodens, den sie bebauen, daß man durchaus behaupten kann, man habe tagsüber ganz Splügen für sich, von den höchsten Berggipfeln bis zu der verlassenen Hauptstraße. Am Abend ändert sich die Szenerie, und diese Verwandlung wird hier nicht ohne Absicht mit Begriffen aus der Theatersprache beschrieben, denn der Dorfplatz, der nach dem Sonnenuntergang zum Mittelpunkt des Lebens in Splügen wird, ähnelt auf ganz absurde Weise einem Bühnenbild. Die eine Seite dieses Platzes wird von der langen verwitterten Vorderseite des Postgasthauses begrenzt – doch halt, dieses Postgasthaus verdient eine Parenthese. Es wurde vor langer Zeit erbaut und dann, so erzählt es die Dorflegende, von „einer hochwohlgeborenen italienischen Familie" verlassen; von außen präsentiert es sich mit dicken Wänden, vor springenden Dachtraufen und den ovalen Mansardenöffnungen eines alten toskanischen Hauses, während innen die klösterlichen Verästelungen steinüberwölbter Korridore zu Räumen führen, deren Decken und Wände mit Gebälk aus dem sechzehnten Jahrhundert vertäfelt sind. Die Steinterrasse vor dieser eindrucksvollen Behausung bildet die Vorderbühne, wo sich nach dem Abendessen die Zuschauer versammeln. Auf der rechten Seite des Platzes steht das blaßrosa „Post und Telegraphen Bureau". Dahinter schließt den rechten Bühnenflügel ein geheimnisvolles gelblichfarbenes Haus mit einem bogenförmigen Eingang. Auf der anderen, linken Seite befinden sich die *dependance* des Gasthauses und das Zollhaus, im linken Hintergrund sieht man die Dorfstraße sich bis zu einer Brücke über den Rhein und den ersten Windungen der Poststraße über den Splügenpaß durch Häuser hindurchschlängeln, die wie „Skizzen" in altertümlichen Zeichenbüchern aussehen (wobei die Risse im Putz mit sehr schwarzem Bleistift ausgeführt worden sind). Dem Gasthaus gegenüber steht der Brunnen, der in jedes Dorf gehört, er ist der Sammelpunkt des Chores; unter der steinernen Brückenmauer fließt der Gebirgsbach, der ein unsichtbares Orchester abgibt, und jenseits dieser Mauer füllen schneebedeckte Gipfel den Bühnenhintergrund.

Wenn das Abendessen vorüber ist, beeilen sich die ungeduldigen Zuschauer, auf die Terrasse zu kommen (mit einem Blick im Vorbeigehen in die Küche mit dem schönen Steingewölbe, wo der italienische Küchenchef mitten in den verstreuten Überresten eines hervorragenden Essens sein Fahrrad ölt), dort sind bereits emsige Vorbereitungen für den Höhepunkt des Abends im Gange – die Ankunft der Postkutschen. Das Orchester stimmt schon einmal seine Instrumente, und der Chor, der sich aus den Schauspielern von den Heufeldern rekrutiert, ist dabei, sich in den Kulissen zu versammeln. Ein Dutzend etwa kommt wie zufällig angeschlendert und hockt sich auf den vorstehenden Sockel der Poststation; andere hängen malerisch am Brunnen herum oder kommen zögerlich die Straße herauf, alles wartet auf das Stichwort der Souffleuse. Jetzt schlendern einige von den Nebenfiguren über die Bühne: der

Besitzer der Sägemühle am Rhein, ein großer Mann in Tweed, der ehrerbietig vom Chor gegrüßt wird; zwei Personen in schwarzen Mänteln mit Spazierstöcken, die immer zusammen auftauchen und den Eindruck vermitteln, sie seien die vereinten Syndikusse des Dorfes; ein vermögender Müßiggänger in einer weißen Kappe mit Schirm raucht eine lange italienische Zigarre und wird von einem neugierigen Spitz begleitet; ein Bürger in weißen Socken und Stoffpantoffeln reicht seiner Frau den Arm, ihm voran ein Junge, so groß wie ein Zaunkönig, mit einer grünen Botanisiertrommel über der Schulter; der mit Goldlitzen geschmückte Beamte aus dem Zollhaus eilt herbei, ein wenig zu spät für seinen Einsatz; ein, zwei Dörflerinnen in sonnenverblichener Aufmachung und mit Brille schauen kurz vorbei, um die Postmeisterin zu besuchen; und dann kommt noch ein großspuriger junger Mann aus dem Postamt, dessen Gehabe zu erkennen gibt, daß er einiges vom Leben gesehen hat in Chur oder Bellinzona, er liest einen Brief sehr zum unverhohlenen Interesse des Chores, der Damen und des Spitzes. Die Art, wie diese Gestalten in geselliger Ruhe so kommen und wieder gehen, läßt an die gemächliche Eröffnung eines Schauspiels denken, das geschrieben wurde, bevor man die aristotelischen Einheiten abgeschafft hatte, und dessen Charaktere noch aus Typen mit ihren Gattungsnamen bestehen – der Wirt, die Postmeisterin, der Syndikus –, eine Komödie von Goldoni vielleicht, die aber so gar Goldonis einfache Schalkhaftigkeit vermissen läßt.

In der Zwischenzeit hat der Portier die Öllampen, die an einer Kette über der Tür des Gasthauses hängen, angezündet; eine himmlische Hand hat dem Abendstern über den Berggipfeln einen ähnlichen Dienst erwiesen, und durch die Stille, die sich über den Platz gebreitet hat, ertönt der ferne Klang von Glocken. ... Und sofort setzt die Handlung ein: der Gastwirt erscheint, gefolgt vom Portier und dem Kellner; eine Welle des

Beifalls läßt den Chor aufleben; der Spitz läuft die Straße hinunter; und dann strecken die erschöpften Führer der Kutsche aus Thusis ihren Kopf um die Ecke. Die grellgelb gestrichene Kutsche – ein Landauer, der an eine verglaste „Clarence" angehängt ist – überquert die mit Kopfstein gepflasterte Bühne und schwingt sich in einem grandiosen Bogen vor die Tür des Gasthauses; vage auszumachende Gestalten lösen sich aus dem Chor, huschen um die Pferde herum und helfen der Guarde das Gepäck hinunterzutransportieren; die zwei Syndikusse lehnen in kritischer Distanz auf ihren Spazierstöcken und beobachten die Szene; der Spitz läuft eifrig zwischen den Beinen der müden Pferde herum, und die Türen der Postkutsche öffnen sich für diese sonderbare Menagerie von Leuten, die man nur auf Reisen trifft. Da kommen sie, sie sind uns so vertraut wie die Figuren von Noahs Arche: zuerst die Deutschen – der kleine Mann mit dem Dreifachkinn und dem Dackel, er scheint geradewegs aus den „Fliegenden Blättern" entsprungen zu sein, der Herkules in Pantoffeln mit einem Gesicht wie das, das man auf Pfeifenköpfen findet, und ihre rührseligen Ehegattinnen; schrille, impulsive Italiener, ein Priester mit einem freundlichen Schweinsgesicht und Amerikaner, die zielstrebig hineinspazieren, mit dem Namen ihrer Heimatstadt und ihres Heimatstaates in großen Buchstaben auf ihrem Gepäck; Engländerinnen, die wie Kanalarbeiter, Franzosen, die wie Mädchen aussehen, sie alle werden von dem gewölbten Eingang verschluckt, und schon verkünden ein anderes Glöckchengebimmel und Lampenlichter auf der Brücke, daß die Kutsche aus Chiavenna ankommt.

Die Zeremonie wiederholt sich und ein anderes Detachement der Reisemenagerie steigt aus. Diesmal befindet sich eine Familie von Nagetieren darunter, die den Eindruck vermittelt, als gehöre sie in ein Drahtgehege und mit Salat gefüttert; dann ein kleiner grimmiger Mann in Knickerbockerhosen und einer

Schärpe, der eine große unterwürfige Ehefrau und zwei kleine Jungen mir heuchlerischen Mienen, die geradewegs aus „The Mirror of the Mind" stammen könnten, dirigiert; eine unglückliche Dame mit Brille steigt aus, die wie ein wieder verworfenes Experiment unseres Schöpfers aussiebt, sie trägt eine graue Leinentasche mit aufgestickten Vergißmeinnicht; und dann ist da noch, wie könnte es anders sein, der junge Mann mit dem Alpenstock, der seiner ehrfürchtig staunenden Familie ein Sträußchen Edelweiß schicken wird. ... Auch diese verschwinden, die Pferde werden weggeführt, der Chor zerstreut sich, die Lichter gehen aus, die Vorstellung ist vorüber. Nur ein Zuschauer bleibt noch, ein bedächtiger Mann in einem schnupftabakfarbenen Überrock, der zeigt, welche Höhepunkte das soziale Leben in Splügen zu bieten hat, indem er sorgsam und planmäßig Abend für Abend um die leeren Kutschen herumgeht, in die Fenster schaut und die Räder und die Deichseln überprüft und dann traurig in der Dunkelheit verschwindet.

Nun endlich haben die beiden Postkutschen den stillen Platz für sich. Da stehen sie Seite an Seite in staubigem Schlummer, bis die morgendlichen Kuhglocken sie zur Abfahrt wecken. Die eine fährt zurück nach Thusis, in eine Gegend mit guten Hotels, reiner Luft und landschaftlichen Platitüden. Von uns aus kann sie auch leer dorthin reisen. Aber die andere ..., die andere wacht aus ihrem Alpenschlaf auf, um den kalten Paß bei Sonnenaufgang zu erklimmen und dann in heißen Serpentinen in ein Land hinabzusteigen, wo Kirchtürme sich in Campanili verwandeln, wo der Wein aus der Gefangenschaft der Senkrechten ausbricht und sich in befreiter Umarmung um die Maulbeerbäume windet, und wo in der Ferne jenseits der Ebene die lockende Luftspiegelung der Dome und Türme, der bemalten Wände und der skulpturenreichen Altäre sogar in die hintersten Winkel der Erinnerung strahlt. In dieser Postkutsche haben wir Plätze reserviert.

1.
URLAUBSTAG

WEISHEIT DES TAGES

„Ich kann in zwölf Sprachen Nein sagen – das ist unerläßlich für eine Frau, die weit herumkommt.“

Sophia Loren

ZUNGENBRECHER DES TAGES

Morena, mio amaro amore, mira il mio cuore che arde d'amore!*

* Morena, meine bittere Liebe, schau mein Herz, das aus Liebe brennt!

SONG DES TAGES *

Azzurro

Adriano Celentano

* Alle SONGS DES TAGES können Sie via Spotify-Playlist der Süddeutschen Zeitung **Song des Tages – Italien (SZ Literaturkoffer)** anhören.

APERITIF DES TAGES

Americano

Pro Glas

3 cl Vermouth Red
3 cl Campari
3 cl Soda

Alle Zutaten in ein Longdrinkglas geben, mit Eiswürfel auffüllen und mit einer Orangenscheibe garnieren.

Wermut, der mit Kräutern aromatisierte Wein-Klassiker und wohl typischste aller italienischen Aperitifs erlebt seine Renaissance. Die bekanntesten italienischen Marken heissen Cinzano, Martini und Carpano, aber in fast allen Weinregionen finden Sie kleine Produzenten, die die Wermut-Produktion wieder aufleben lassen.

REZEPT DES TAGES

Panna Cotta mit Früchten

Zutaten

500 ml	Sahne
	Mark einer Vanille-schote
3 EL	Zucker
2–3	Blätter Gelatine
500 g	reife Erdbeeren, Mango oder Kiwi

ZUBEREITUNG

- 500 ml Sahne mit dem Mark einer Vanilleschote und 3 EL Zucker aufkochen, 2 Blätter eingeweichte Gelatine in der Flüssigkeit auflösen. Warten, bis die Sahne zu gelieren beginnt, erst dann in 8 kleine Formen füllen und kalt stellen – so kann sich die Vanille nicht unten absetzen.

- Wenn Sie die Crème stürzen wollen, nehmen Sie lieber 3 Blatt Gelatine. 500 g reife Erdbeeren, Mango oder Kiwi klein würfeln.

- Ein Drittel der Früchte pürieren, mit ein paar Tropfen Orangenlikör abschmecken, über die Früchte geben, mit Panna Cotta servieren.

URLAUBSTAG

WEISHEIT DES TAGES

„Man muß nur das Überflüssige weglassen."

Michelangelo

ZUNGENBRECHER DES TAGES

Sereno è, sereno sarà, se non sarà sereno si rasserenerà.*

* Es ist heiter, es wird heiter sein, und wenn es nicht heiter sein wird, wird es sich wieder aufheitern.

SONG DES TAGES

Cose della vita

Eros Ramazzotti & Tina Turner

SONETTO 39

Matteo Maria Boiardo

Già vidi uscir de l'onde una matina
il sol di ragi d'or tutto iubato,
e di tal luce in facia colorato
che ne incendeva tutta la marina;

e vidi a la rogiada matutina
la rosa aprir d'un color sì infiamato
che ogni luntan aspetto avria stimato
che un foco ardesse ne la verde spina;

e vidi aprir a la stagion novella
la molle erbetta, sì come esser sòle
vaga più sempre in giovenil etade;

e vidi una legiadra donna e bella
su l'erba coglier rose al primo sole
e vincer queste cose di beltade.

SONETT 39

Eines Morgens sah ich einst die Sonne
goldstrahlend über dem Meer aufgehen,
so lichtgefärbt erschien ihr Antlitz,
dass sie das Wasser in Flammen setzte;

ich sah im Morgentau die Rose sich
so flammend hell entfalten, dass ein jeder,
aus der Ferne schauend, meinen musste,
ein Feuer brenne über dem grünen Dorn;

ich sah das weiche, jugendliche Gras,
wie es im frühen Lenz am Morgen
seine Blätter zart entfaltet,

und eine schöne Frau sah ich anmutig
Rosen pflücken im ersten Sonnenschein,
die alles andere an Schönheit übertraf.

URLAUBSTAG

WEISHEIT DES TAGES

„Ihr könnt euch ja noch eine zweite Arbeit suchen – eben nicht offiziell.“

Silvio Berlusconi

ZUNGENBRECHER DES TAGES

Nel mese di giugno prendi un impegno: mangia le prugne e non le castagne.*

* Im Monat Juni übernimm eine Verpflichtung: iss Pflaumen und keine Kastanien.

SONG DES TAGES

Viva la mamma

Edoardo Bennato

REISEESSAY DES TAGES

BILDERBUCH OHNE BILDER

Hans Christian Andersen

Zwölfter Abend.

„Ich will dir ein Bild von Pompeji geben," sagte der Mond. „Ich war in der Vorstadt, in der Gräberstraße, wie man sie nennt, wo die schönen Monumente stehen, wo einst die jubelnden Jünglinge, Rosen um die Stirn, mit den schönen Schwestern der Lais tanzten; nun herrschte hier Todesstille; deutsche Soldaten in neapolitanischem Dienst hielten Wache und spielten Karten und Würfel; eine Schar Fremder, von jenseits der Berge, wanderten in die Stadt, von einer Wache begleitet; in meinem vollen Lichte wollten sie die aus dem Grabe erstandene Stadt sehen und ich zeigte ihnen die Spur der Wagenräder in den mit breiten Lavaplatten gepflasterten Straßen, ich zeigte ihnen die Namen auf den Türen und die noch aushängenden Schilder; sie sahen in den kleinen Höfen das Bassin für den Springbrunnen, geschmückt mit Muscheln und Konchylien; aber es sprangen keine Wasser, kein Gesang durchtönte die reichbemalten Gemächer, wo der Hund von Metall an der Tür wachte. Es war die Stadt des Todes; nur der Vesuv donnerte noch seine ewige Hymne, deren einzelne Verse die Menschen einen neuen Ausbruch nennen. Wir gingen zum Venustempel, der aus weißblinkendem Marmor ist, mit seinem Hochaltar vor der breiten Treppe und mit frischen Trauerweiden, die zwischen den Säulen hervorwachsen; die Luft war durchsichtig und blau, und im Hintergrund stand der kohlschwarze Vesuv, von dem das Feuer wie ein Pinienstamm aufstieg; die beleuchtete Rauchwolke lag in der Stille der Nacht wie die Krone der Pinie da, aber blutig rot. Unter der Gesellschaft befand sich eine Sängerin, eine echte und große Künstlerin, ich habe ihr an den ersten Orten Europas huldigen sehen. Als sie sich dem tragischen Theater näherten, setzten sich alle auf die Steinstufen des Amphitheaters; es wurde wieder ein kleiner Platz besetzt, wie vor Jahrtausenden. Die Szene stand noch wie früher, mit den gemauerten Kulissen und den beiden Bogen im Hintergrunde, durch welche man dieselbe Dekoration sieht, wie zu jener Zeit, die Natur selbst: die Berge zwischen Sorrent und Amalfi. Die Sängerin stieg zum Scherz auf die Szene des Altertums und sang; der Ort inspirierte sie; ich mußte an Arabiens wildes Pferd denken, wenn es schnaubend die Mähne sträubt und davonjagt; es war dieselbe Leichtigkeit und Sicherheit; ich mußte an die leidende Mutter unter dem Kreuze von Golgatha denken, es war derselbe tief gefühlte Schmerz. Und ringsum erklang wieder, wie vor tausend Jahren, der Jubel und das Klatschen des Beifalls. ‚Glückliche! himmlisch Begabte!' jubelten sie alle. Drei Minuten später war die Szene leer, alles fort, man hörte keinen Ton mehr. Die Gesellschaft war weiter gezogen, aber die Ruinen standen noch unverändert, wie sie noch jahrhundertelang stehen werden, und niemand mehr weiß von dem Beifall des Augenblicks, von der schönen Sängerin, von ihren Tönen, ihrem Lächeln, vergessen und vorbei, selbst für mich ist diese Stunde eine verschwundene Erinnerung."

REZEPT DES TAGES

Artischocken aus dem Ofen

Zutaten

4	große Artischocken
3	Scheiben trockenes Ciabatta, in 1-cm-Würfeln
20	Zweige glatte Petersilie, gezupft und grob gehackt
1	große Knoblauchzehe, in Scheiben
16	Pfefferkörner
12 g	Fior di Sale
200 ml	Olivenöl extra vergine
250 ml	Wasser
75 ml	Weißwein

ZUBEREITUNG

- Die äußeren Blätter der Artischocken und Stiel ausbrechen. Spitze (4–5 cm) gerade abschneiden.
- Das Innere der Artischocken mit einem Löffel auskratzen. Boden mit Messer begradigen. Unter Wasser abspülen. Artischockenstiel schälen.
- Das zarte Innere des Stiels in Scheiben schneiden, mit Brot, Petersilie, Knoblauch, Pfefferkörnern, 5 g Salz und 100 ml Olivenöl vermengen. Füllung auf die Artischocken verteilen, diese auf ein tiefes kleines Blech stellen. Wasser und Wein angießen.
- Restliches Olivenöl und Salz über das Blech und die Artischocken verteilen und bei 180 °C für etwa eine Stunde in den Ofen schieben, bis der Boden weich ist und die äußeren Blätter knusprig sind.

Die Artischocke umgibt, wie auch den weißen Spargel, eine gewisse aristokratische Aura. Vom neapolitanischen Kaufmann Filippo Strozzi im 15. Jahrhundert von Sizilien aus auf dem europäischen Festland verbreitet, wurde sie in den Gärten und auf den Tafeln des französischen Adels bald zum Symbol vornehmer Lebensart. Das vorgestellte Gericht bietet auch für den modernen Bürger vielerlei Vorzüge: Es ist relativ günstig, einfach in der Zubereitung, extrem gesund und zudem abwechslungsreich beim Essen. Eine große geröstete Artischockenblüte stellt den Esser vor Aufgaben, die mit Messer und Gabel allein nicht zu lösen sind. So kommt bei den Tischsitten wieder die aristokratische Freizügigkeit zum Zug: Man isst mit den Händen.

APERITIF DES TAGES

Negroni

Pro Glas

2 cl Gin
2 cl Campari
2 cl Roter Wermut
Orangenscheibe

In einem großen Gefäß, am besten einem Rührglas, das entweder mit Eis oder im Kühlschrank vorgekühlt wurde, werden die Zutaten gemischt. Bitte in dieser Reihenfolge: zuerst den Gin, dann den Campari, zuletzt den Wermut. Umrühren, unbedingt in ein neues Glas mit frischem Eis geben. Ich serviere den in einem Kristall-Tumbler, der mit selbst geschnitztem Eis in Form des Glases gefüllt ist. Der Drink kriegt dadurch noch einmal eine besondere Note. In Bars macht man das nicht mehr, aber zuhause kann man ihn noch mit einer Orangenscheibe garnieren.

URLAUBSTAG

WEISHEIT DES TAGES

„Ich war zwölf Jahre alt, als ich dem Tor den Rücken zugewendet habe. Und ich werde es weiter tun. Solange Beine, Kopf und Herz mich tragen.“

Gianluigi Buffon

ZUNGENBRECHER DES TAGES

Tre asini vennero dalla Sardegna carichi di fischi, fiaschi e legna.*

* Drei Esel aus Sardinien, bepackt mit Pfeifen, Korbflaschen und Holz.

SONG DES TAGES

Bello e impossibile

Gianna Nannini

L'INFINITO

Giacomo Leopardi

Sempre caro mi fu quest'ermo colle,
E questa siepe, che da tanta parte
Dell'ultimo orizzonte il guardo esclude.
Ma sedendo e mirando, interminati
Spazi di là da quella, e sovrumani
Silenzi, e profondissima quiete
Io nel pensier mi fingo; ove per poco
Il cor non si spaura. E come il vento
Odo stormir tra queste piante, io quello
Infinito silenzio a questa voce
Vo comparando: e mi sovvien l'eterno,
E le morte stagioni, e la presente
E viva, e il suon di lei. Così tra questa
Immensità s'annega il pensier mio:
E il naufragar m'è dolce in questo mare.

DAS UNENDLICHE

Immer war dieser verlassene Hügel mir lieb
und diese Hecke, die den Blick
auf weite Teile des Horizonts verwehrt.
Doch wenn ich hier sitze und schaue, denke ich
mir unbegrenzte Räume jenseits von diesem aus
und übermenschliche Stille und tiefste Ruhe,
wo das Herz sich nicht so leicht ängstigt.
Und wenn ich den Wind
durch diese Büsche rascheln höre, vergleiche ich
das grenzenlose Schweigen mit diesem Laut:
ich gedenke der Ewigkeit und der verstorbenen
Jahrhunderte sowie des jetzigen, lebendigen,
und dessen Lärm. In dieser Unendlichkeit
versinkt mein Denken, und süß ist mir
das Untergehen in diesem Meer.

URLAUBSTAG

WEISHEIT DES TAGES

„Mit schönen Frauen ist es wie mit Fußball. Man freut sich auf ein schönes Wochenende und wird maßlos enttäuscht.“

Francesco Totti

ZUNGENBRECHER DES TAGES

Sul tagliere taglia l'aglio, non tagliare la tovaglia: la tovaglia non è aglio!*

* Schneide den Knoblauch auf dem Schneidebrett, zerschneide die Tischdecke nicht: die Tischdecke ist kein Knochblauch!

SONG DES TAGES

Mamma

Luciano Pavarotti & Ricky Martin

BOCCIA

Wie man Boccia im Urlaub spielt

Boccia ist die italienische Variante des Boule-Spiels, bei dem es darum geht, seine eigenen Kugeln möglichst nah an eine kleinere Zielkugel (Pallino) zu platzieren bzw. die gegnerischen Kugeln vom Pallino wegzuschießen.

Das Spielfeld

Profis spielen Boccia nicht, wie bei der Freizeitvariante, auf Rasen, sondern auf einem ebenen, perfekt nivellierten Boden, der in vorschriftsmäßige Bahnen von 26,50 m Länge und 4,50 m Breite eingeteilt ist. Jede Bahn hat Abschnittsmarkierungen für die Weite. Die Umfassung dieses Spielfelds besteht traditionell aus 25 cm hohen Holzbrettern oder anderen nicht metallischen Materialien.

Die Kugeln

Das Pallino und die Kugeln haben vorgeschriebene Maße.

Die Spielkugel BOCCIA:	Durchmesser: 100 mm – 120 mm, Gewicht: 800 g – 1100 g
Die Zielkugel PALLINO:	Durchmesser: 37 mm – 43 mm.

Spieler einer Mannschaft haben gleiche Kugeln. Für das Auswerfen des Pallino und der Kugeln gibt es genaue Regeln und Abspielpunkte, die Lage der Kugeln wird auf dem Feld markiert.

Setzpunkt

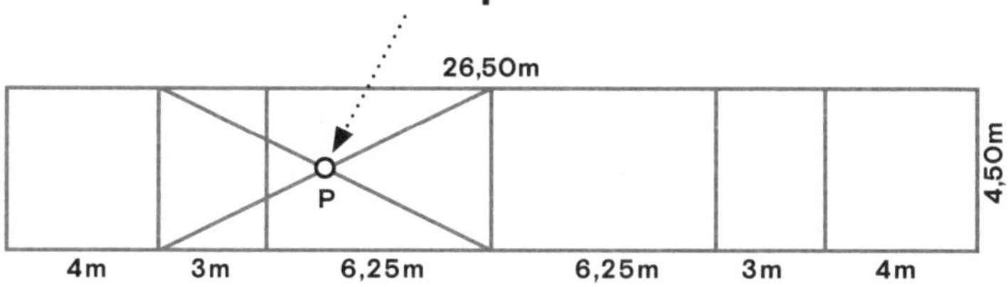

Im Urlaub bietet es sich an Boccia in der Freizeitvariante zu spielen:

Die Mannschaften

TERNA

3 gegen 3 Spieler. Jeder Spieler hat 2 Kugeln.

COPPIA

2 gegen 2 Spieler. Jeder Spieler hat 2 Kugeln.

INDIVIDUALE

1 gegen 1 Spieler. Beide Spieler haben 4 Kugeln.

Zum besseren Verständnis der Regeln spielen in dieser Anleitung die Mannschaften SCHWARZ und GRÜN mit SCHWARZEN bzw. GRÜNEN Kugeln.

Vor dem Spielbeginn

Am Anfang des Spiels wird der PALLINO auf einen festen Punkt P gelegt.

Vor dem 1. Durchgang wird – zum Beispiel per Münzwurf – gelost, welche Mannschaft beginnen darf. Mannschaft GRÜN gewinnt in unserem Beispiel und darf beginnen.

Spielbeginn

Ein Spieler von GRÜN zeichnet eine Abwurflinie. Bei jedem Wurf müssen beide Füße hinter der Linie Bodenkontakt behalten, bis die gespielte Kugel den Boden berührt.

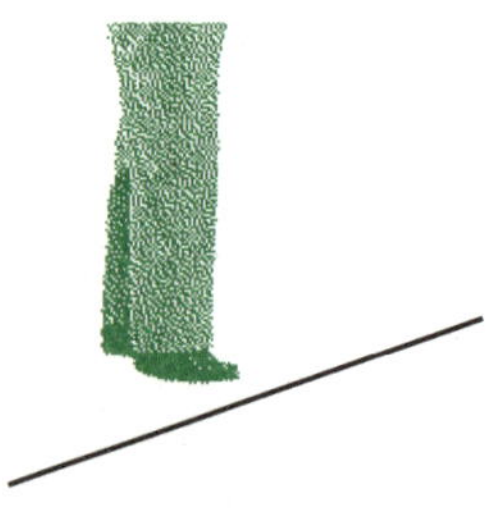

Die erste Kugel

Mannschaft GRÜN wirft nun eine erste Kugel, so nah ans Ziel wie möglich.

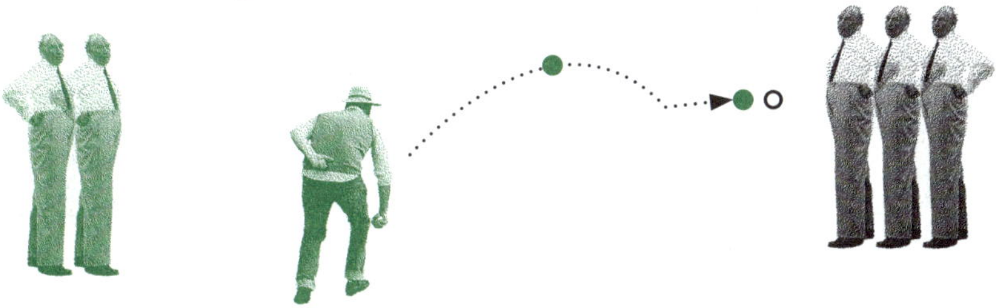

Dann ist ein Spieler der Mannschaft SCHWARZ am Zug und versucht, es besser zu machen. Entweder durch

Setzen

Er versucht seine Kugel näher an die Zielkugel zu legen als sein Gegner – oder durch

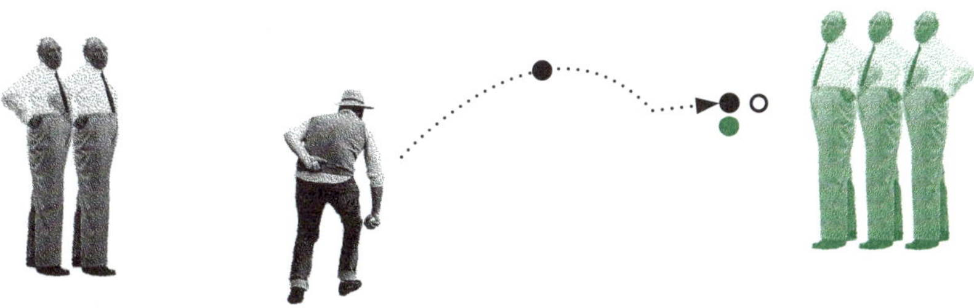

Schießen

Mit einem gezielten Wurf entfernt er die gegnerische Kugel.

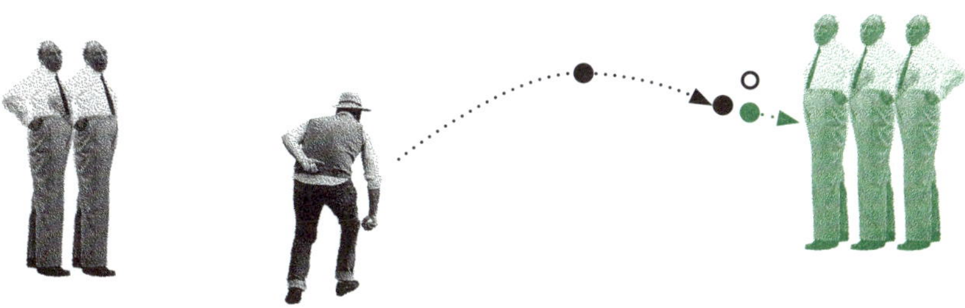

Wenn es gelingt,

ist wieder ein Spieler von GRÜN dran.

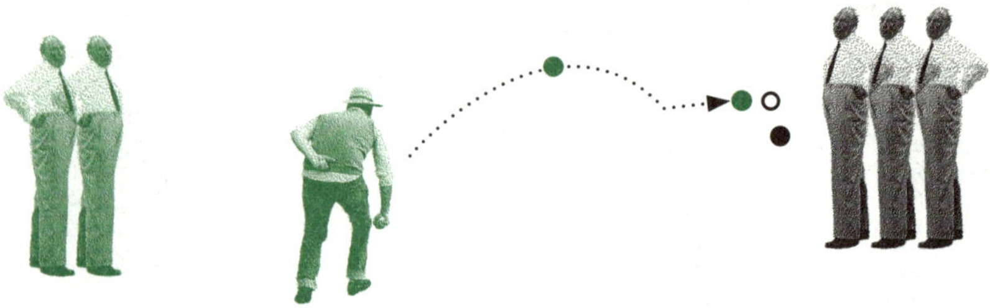

Wenn es nicht gelingt,

müssen die Spieler von SCHWARZ so lange spielen, bis sie eine Kugel besser platziert haben oder bis sie keine Kugeln mehr haben.

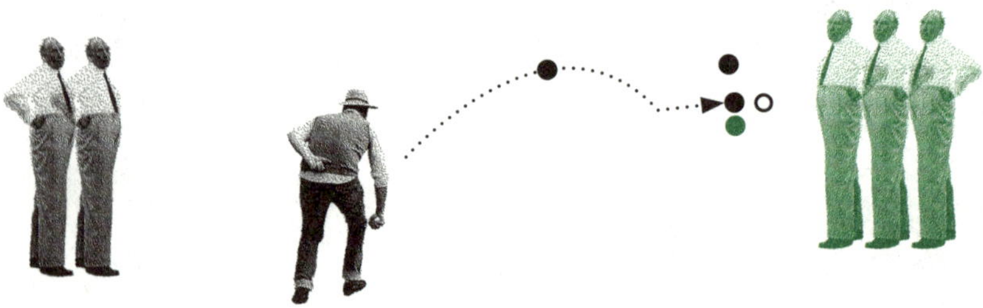

Wenn eine Mannschaft keine Kugeln mehr hat, spielt die andere Mannschaft auch alle noch verbleibenden Kugeln.

Das Ende einer Aufnahme

Die Kugel, die am nächsten zur Zielkugel liegt, entscheidet, welche Mannschaft Punkte erhält (siehe: Die Punkte) und die nächste Aufnahme beginnen muss. Dazu wirft die Gewinnermannschaft die Zielkugel von der Abwurflinie neu aus.

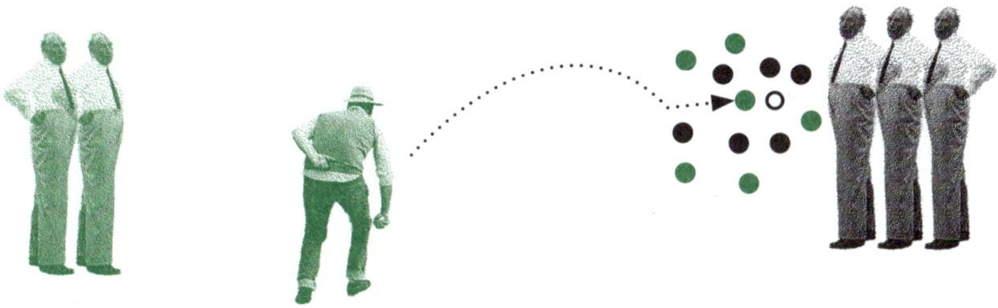

Die Punkte

Jede Kugel einer Mannschaft, die dem Ziel näher liegt als die Bestplatzierte des Gegners, zählt einen Punkt.
In einem Durchgang wird also mindestens 1 Punkt vergeben. Im Idealfall macht ein Team 6 Punkte, weil seine Kugeln allesamt besser platziert sind als die Beste des Gegners.
In unserem Beispiel erhält GRÜN 3 Punkte.

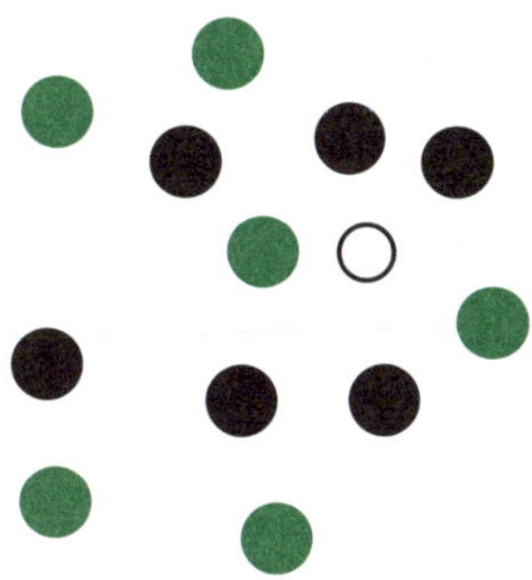

Der weitere Spielverlauf

Die Mannschaft, die den Durchgang gewonnen hat, setzt das Spiel fort: Sie zeichnet den neuen Abwurfkreis dort, wo zuletzt die Zielkugel lag, wirft die Zielkugel und danach auch die erste Kugel.

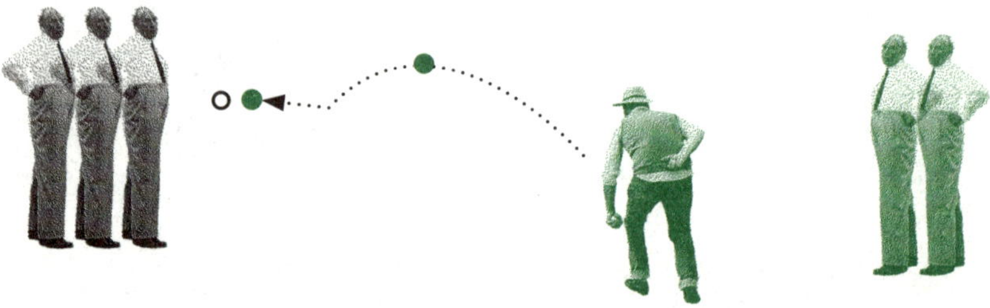

Das Ende eines Spieles

Die Mannschaft, die nach mehreren Aufnahmen als erste 12 Punkte erreicht, hat gewonnen. Höchst simpel also – und was soll daran so faszinierend sein?
Tatsächlich lässt das einfache Prinzip der Taktik und dem Spielverlauf weiten Raum: Ein taktischer Fehler ist gravierender als eine schlecht gespielte Kugel. Bei jeder zu spielenden Kugel bieten sich zahlreiche Möglichkeiten:

Schießen

Blockieren

Ziel verändern

APERITIF DES TAGES

Rosita Reverse

Pro Glas

4 cl	**Martini**
1½ cl	**Carpano Antica Formula Vermouth**
1½ cl	**Campari**
1 cl	**Tequila Olmeca Reposado**
1	**Spritzer The Bitter Truth Orange Bitters**
	Orangenschale

Alle Ingredienzien in ein vorgekühltes Rührglas gießen, auf Eis gut kalt rühren, in einen Tumbler auf einen Eisball abseihen und mit „flamed orange peel" vollenden – dazu ein Stück Orangenschale ausschneiden, dieses zusammenklappen, über dem Drink auspressen und dabei mit dem Feuerzeug die ätherischen Öle entzünden.

URLAUBSTAG

WEISHEIT DES TAGES

„Bacchus hat mehr Menschen im Glas ertränkt, als Poseidon im Meer.“

Giuseppe Garibaldi

ZUNGENBRECHER DES TAGES

Remo rema sul Reno con remi di rame.*

* Remo rudert auf dem Rhein mit Rudern aus Kupfer.

SONG DES TAGES

Baila Morena

Zucchero & Manà

REISEESSAY DES TAGES

EIN VOLLKOMMENER TAG

Virginia Woolf

AN VANESSA BELL
21. April 1927

Hotel Hassler–New York
Piazza Trinita dei Monti, Rom

Liebste,
wir sind gestern abend hier angekommen und haben Deinen Brief vorgefunden, den ich zweimal gelesen habe, beim Dinner, einmal am Pincio heute morgen, also laß Deine Bescheidenheit, die schließlich nur vorgetäuscht ist, ihren Kopf verbergen. Ich halte in Deinen Briefen ständig Ausschau nach irgendeiner gewaltigen Enthüllung über das Leben, die sich im Unterholz versteckt. Zweifellos werde ich mich hier niederlassen – es übertrifft all meine Erwartungen: Heute ist ein Feiertag und alle Sehenswürdigkeiten sind geschlossen, also haben wir nur in den Gärten gesessen und sind zum Petersdom hinübergeschlendert. Ich weiß nicht, wieso man das Gefühl hat, daß es allen anderen Städten so überlegen ist – teils wegen der Farbe nehme ich an. Es ist ein vollkommener Tag; alle Blumen sind gerade herausgekommen; es gibt große Azaleensträucher an den Pfaden; Judasbäume, Zypressen, Rasen, Statuen, zwischen denen die italienischen Kinderschwestern in ihren primel- und rosafarbenen Seiden mit ihren Schleiern und Spitzen umherwandern, und statt dazu in der Lage zu sein, Proust zu lesen, wie ich es beabsichtigt hatte (er ist übrigens bei weitem der größte moderne Romancier, und ich glaube, es würde sich, wenn Du Dich dem Bücherlesen zuwenden würdest, eines Tages für Dich auszahlen, ihn Dir anzusehen) merke ich, daß ich mich wie ein Fisch zwischen Blättern und Blumen hindurchschlängele und in einem gewaltigen Tongefäß herumschwimme, das sich von Orangerot zu Blattgrün verfärbt – Es ist unglaublich schön – oh und da ist der Petersdom in der Ferne; und Leute sitzen auf der Brüstung, alle sehr distinguiert,

die schönsten Frauen in Europa, mit kleinen stolzen Köpfen; – aber Du wirst all dem keinen Sinn abgewinnen.

[...]

Freitag [22. April]

Jetzt brechen wir gerade zu unserer Tagesarbeit auf – Petersdom, der Vatikan etc. Es ist wieder vollkommen – heiß und still. Ich will überhaupt nicht zum Telefon und zum Omnibus zurückkommen. Warum sich nicht hier niederlassen, statt in Cassis? Ich glaube, man könnte unnahbarer sein – In Cassis würden Leute kommen und bleiben – Hier könnten sie nur auf eine halbe Stunde hereinschauen. Leider ist Mittwoch der Tag für den Lumpenmarkt, und natürlich werden wir dann weg sein. Wie dumm! Ich werde statt dessen zu den Antiquitäten gehen.

Aber wenn wir hierher kommen, um hier zu leben – und ich denke wirklich, wir tun es vielleicht, sollte Mervyn [Arnold-Forster] die *Press* übernehmen – dann werde ich jeden Mittwoch auf den Lumpenmarkt gehen.

Ich fürchte, dies ist ein langweiliger, klammer Brief, aber das sind Briefe von Reisenden immer. Aber ich habe versucht, so aufreizend wie möglich zu sein – ein wenig Salz auf Dolphins Schnauze zu streuen, damit sie Säulen der Wut im die Luft bläst: Du mußt jetzt an den Tavistock schreiben. Als erstes verteidige Deine Position als Mutter; als nächstes die als Künstlerin. Wieso sagst Du, daß das Hauptziel des Lebens die Arbeit ist, die man tut?

B.

REZEPT DES TAGES

Vitello Tonnato

Zutaten

500 g	Kalbsfilet (oder Schweinefilet, Schweine- oder Kalbsrücken)
	Salz, Pfeffer
1	Zweig Thymian
1	Zweig Rosmarin
	Olivenöl
	Zitronenscheiben, Kapern und Basilikumblätter zum Garnieren

Sauce

50 g	Thunfisch (in Wasser eingelegt)
1	Sardelle
5	Kapernbeeren
3 EL	Mayonnaise
1 EL	Crème fraîche
1	Essiggurke

ZUBEREITUNG

- Das Kalbsfilet leicht salzen und pfeffern, dann mit dem Thymian und Rosmarin zuerst fest in Klarsichtfolie, anschließend in Alufolie einwickeln. Das Fleisch in einen Topf mit kochendem Wasser legen. Den Topf zudecken, von der Herdplatte schieben und das Fleisch 15 bis 20 Minuten ziehen lassen. Das Fleisch aus den Folien wickeln, auskühlen lassen, in hauchdünne Scheiben schneiden und fächerförmig auf die Teller legen.

- Für die Sauce alle Zutaten mit etwas Salz und Pfeffer im Mixer pürieren, dann durch ein feines Sieb passieren. Die Sauce auf dem Fleisch verteilen und das Ganze nach Belieben mit Zitronenscheiben, Kapern, frischem Basilikum und einigen Tropfen Olivenöl garnieren.

Tipp

- Besonders dünn lässt sich das gekochte Fleisch aufschneiden, wenn man es in der Folie im Gefrierfach oder Tiefkühlgerät anfrieren lässt. Man kann das Fleisch für diese klassische Vorspeise auch ausgezeichnet auf Vorrat zubereiten und einfach in der Folie einfrieren. Verwenden Sie Schweine- oder Kalbsrücken, so erhöht sich die Garzeit auf 35 Minuten.

URLAUBSTAG

WEISHEIT DES TAGES

„Wissen Sie, jeder Friedhof ist voll von unersetzlichen Männern."

Giovanni Agnelli

ZUNGENBRECHER DES TAGES

Sotto quattro grossi sassi, stanno quattro gatti grossi e grassi.*

* Unter vier dicken Steinen sind vier dicke und fette Katzen.

SONG DES TAGES

Emozioni

Formula 3

APERITIF DES TAGES

Luigi

Pro Glas

4–5	Eiswürfel
1 cl	Orangensaft
½ cl	Cointreau
1 cll	Grenadine
2 cl	Gin
2 cl	Dry Vermouth
1	Orangenscheibe

Eiswürfel in den Shaker geben, Orangensaft, Wermut, Cointreau, Grenadine und Gin hinzugeben und kräfig schütteln. Luigi wird in einem vorgekühlten Glas (am besten aus dem Eisfach) serviert und mit einer Orangenscheibe angerichtet.

REZEPT DES TAGES

Pulpo auf Zucchinibett und Schmortomaten

Zutaten

1	kleine Fenchelknolle
1	kleine Karotte
2	Schalotten, abgezogen
1 TL	schwarze Pfefferkörner
1 TL	Fenchelsamen
je 1	Zweig Rosmarin und Thymian
1	Knoblauchzehe, zerdrückt
1	frischer Pulpo, ca. 400–500 g
2	Zucchini
6	Tomaten
	Kräuter
	Pfeffer, Salz
8	Friseesalat-Zweige
je 4	Thymian- und Salbeiblüten

ZUBEREITUNG

Schmortomaten

- Tomaten überbrühen, kalt abschrecken, häuten, mit Salz, Pfeffer, evtl. ein wenig Puderzucker, Pfeffer, Salz, Olivenöl und Kräutern würzen und auf einem Blech zweieinhalb Stunden bei 90 °C backen.

Pulpo

- 5 l Salzwasser in einem hohen Topf zum Kochen bringen, Fenchel, Karotte, Schalotte in grobe Stücke schneiden und zugeben, anschließend Pfefferkörner, Fenchelsamen, Thymian und Rosmarin und den Knoblauch zugeben. Darin den Pulpo 60 bis 70 Minuten kochen lassen, Garzustand prüfen. Den garen Pulpo herausnehmen, abkühlen lassen und in vier gleich große Stücke schneiden.

- Die Zucchini waschen und putzen, in 2 mm dünne Scheiben schneiden, kurz in kochendem Wasser blanchieren, abschrecken, trockentupfen.

- Das Zucchinicarpaccio kreisförmig anrichten, die Ofentomaten auf die Zucchinischeiben setzen. Den Pulpo daraufsetzen, mit Thymian- und Salbeiblüten und Frisee garnieren.

URLAUBSTAG

WEISHEIT DES TAGES

„Die Wahrheit nachbilden mag gut sein, aber die Wahrheit erfinden ist besser, viel besser.“

Giuseppe Fortunino Francesco Verdi

ZUNGENBRECHER DES TAGES

Manda il sale a Salamanca che a Salamanca il sale manca.*

* Schicke das Salz nach Salamanca, weil in Salamanca das Salz fehlt.

SONG DES TAGES

Kamikaze

Lucio Dalla

REZEPT DES TAGES

Tiramisù das Originalrezept

Zutaten

350 ml	starker Espresso
2 TL	Zucker
4	Eigelb
100 g	Zucker
450 g	Mascarpone
30	Biskuits (eigentlich flache italienische, es gehen aber auch Löffelbiskuits)
2 EL	Kakaopulver

ZUBEREITUNG

- Zuerst den Espresso kochen und 2 TL Zucker darin auflösen, solange er noch warm ist, dann abkühlen lassen.

- Die vier Eigelb und den Zucker in einer Schüssel so lange mit dem Quirl (oder Mixer) schlagen, bis eine leichte, luftige Creme entsteht. Dann den Mascarpone unterheben.

- Die Biskuits (je nach Geschmack kurz oder lang) in den Espresso tauchen und mit der ersten Hälfte eine flache Auflauf- oder Quiche-Form auslegen. Biskuits mit der ersten Hälfte der Creme bestreichen, dann die zweite Biskuit-Creme-Etage draufsetzen. Am Ende die Creme durch ein Sieb gleichmäßig mit Kakao bestreuen.

Als der Kritiker Giuseppe Maffioli 1981 im Gastro-Magazin erstmals über Tiramisù schrieb und die Nachspeise so weltberühmt machte, veröffentlichte er dort – unter dem Titel „Das wahre Tiramisù von Le Beccherie" – auch dieses Rezept. Die Urvariante ist sehr schlicht, enthält keinen Alkohol, ähnelt einer flachen Torte und kann beliebig abgewandelt werden.

URLAUBSTAG

WEISHEIT DES TAGES

„Ich habe nicht viele Laster – aber vor einem Teller Fettuccine alla panna kann ich einfach nicht Nein sagen.“

Luciano Pavarotti

ZUNGENBRECHER DES TAGES

Sotto la panca la capra campa, sopra la panca la capra crepa.*

* Unter der Bank überlebt die Ziege, auf der Bank krepiert die Ziege.

SONG DES TAGES

Sotto il segno dei pesci

Antonello Venditti

REISEESSAY DES TAGES
IM PARK DER VILLA BORGHESE
Sigmund Freud

An Familie Freud
Rom, 21. September 1907

Meine Lieben
Wundert Euch nicht über die spärlichen Briefe; ich habe Euch schon verraten, daß man in Rom beständig von seinen Aufgaben erdrückt ist und zu nichts kommt. Heute war es wieder herrlich; Villa Borghese ist ein großer Park mit Schloß und Museum, der noch vor kurzem einem der römischen Fürsten gehört hat, jetzt aber Eigentum der Stadt und allgemein zugänglich ist, denn der gute Fürst hat sich verspekuliert und mußte alles für drei Millionen Lire verkaufen. Spottbillig nebenbei; im Museum befindet sich so ziemlich der schönste Tizian, genannt ‚Himmlische und Irdische Liebe', für den die Amerikaner allein soviel gegeben hätten. Das Bild kennt Ihr gewiß, die Bezeichnung hat keinen Sinn, was das Bild sonst bedeutet, weiß man nicht; genug, daß es sehr schön ist.

Schöner als dieser Park braucht keiner zu sein, nur müßt Ihr Euch anstatt der saftigen Wiesen dürren Boden vorstellen, wenigstens jetzt ist er so. Die Bäume sind von der vornehmsten Art, Pinien, Zypressen, Palmen, allerlei unbekanntes Zeug, dazwischen große Spielplätze, von unzähligen Kindern gefüllt, steinerne Tische und Bänke, auf denen kleine Leute ihre Mahlzeiten verzehren, ein See mit einer Insel, auf welcher ein Äskulaptempel steht, allerlei andere künstliche Ruinen und Tempelnachbildungen, also ein Schönbrunn, das sich herabläßt, ein Prater zu sein. Zu Schönbrunn paßt auch, daß hie und da fremde Tiere [hier] ihre Wohnungen haben, Gazellen, Fasane, auch einen Affen habe ich bemerkt, dem die Gassenbuben das Leben Sauer machen. Pfauen gehen frei herum und führen ihre Küchlein, die noch sehr unscheinbar sind, spazieren. Es ist natürlich allerlei im Garten verboten, aber nicht mehr als notwendig ist und ich glaube bemerkt zu haben, daß sich's jeder behaglich macht und keiner sich an Verbote hält. In dem Teil, der der Privatgarten des Fürsten war, steht auch hie und da ein echtes Stück Altertum, ein schöner Sarkophag, eine Säule, eine gebrochene Statue. So vergißt man nicht, daß man in Rom ist.

In einer Allee sieht man eine Statue von Victor Hugo, die von den Franzosen im Dienste der Verbrüderung der Nationen geschenkt worden ist. Er sieht aus wie Verdi, [Joseph] Joachim und so weiter. Diese Statue hat den guten Kaiser Wilhelm [II.] nicht ruhen lassen, und so hat er aus Konkurrenzneid die Statue von Goethe durch Eberlein machen und in demselben Garten aufstellen lassen. Sie ist ganz geschickt und nichts Hervorragendes. Goethe ist zu jugendlich; er war ja über Vierzig, als er zuerst nach Rom kam, steht auf einem Säulenschaft, vielmehr einem Kapitell, und das Postament ist von drei Gruppen umgeben: Mignon mit dem Harfner, der vielleicht das Beste ist, Mignon selbst hat ein leeres Gesicht, Faust in einem Buch lesend, dem Mephisto über die Achsel schaut, Faust wieder gut, der Teufel ganz fratzenhaft, ein Judengesicht mit Hahnenkamm und Hörnern, und eine dritte Gruppe, die ich nicht verstehe, vielleicht Iphigenie und Orest, aber dann sehr unkenntlich.

Im Museum selbst sind nicht nur Antiken, sondern auch moderne Skulpturen, die Fürstin Pauline Borghese, bekanntlich eine Schwester von Napoleon, als Venus von Canova, berühmte Gruppen von Bernini und anderes. Die Antiken sind alle ergänzt, was die Beurteilung sehr erschwert. Neuere Funde werden jetzt schonender behandelt, ich freue mich darum auf das Museum in den Diocletianthermen, das ich morgen besuchen will.

Das Schwerste in Rom, wo nichts leicht ist, bleibt das Einkaufen. Bisher war ich sehr bescheiden, heute ist der Anfang mit einigen Marmorschalen gemacht worden. (...) Dieser Marmor ist nun echt und nicht bemalt, dafür etwas teurer. Eurer Wünsche bin ich noch immer gewärtig.

Ich hoffe, daß Euch die Impfblattern nicht so schwer geworden sind wie dem Onkel und grüße Euch herzlich, sowie Mama und alle im Hause.

Euer Papa

Wetter entzückend, höchstens einundzwanzig Grad [R] um die Zeit, wo man ruht, Vollmond, klarer Himmel.

APERITIF DES TAGES

St. Lucia

Pro Glas

4–5	Eiswürfel
1 cl	Curacao
1 cl	trockener Wermut
6–8 cl	frisch gepresster Orangensaft
1 TL	Grenadine
2 cl	klarer oder weißer Rum
1	Spirale aus Orangenschale
1	Kirsche

Eiswürfel in einen Shaker geben, Curacao, Wermut, Orangensaft, Grenadine und Rum hinzufügen und schütteln, bis der Shaker von außen kühl wird. Mit einer Orangenschale und einer Kirsche garnieren.

URLAUBSTAG

WEISHEIT DES TAGES

„Der Schmerz kommt nicht von den anderen, er kommt aus uns und aus der Natur.“

Grazia Deledda

ZUNGENBRECHER DES TAGES

Tito, tu m'hai ritinto il tetto, ma non t'intendi tanto di tetti ritinti.*

* Tito, du hast mein Dach wieder gestrichen, aber hast keine Ahnung von wiedergestrichenen Dächern.

SONG DES TAGES

Come Nelle Favole

Vasco Rossi

TRIESTE

Umberto Saba

Ho attraversato tutta la città.
Poi ho salita un'erta,
popolosa in principio, in là deserta,
chiusa da un muricciolo:
un cantuccio in cui solo
siedo; e mi pare che dove esso termina
termini la città.

Trieste ha una scontrosa
grazia. Se piace,
è come un ragazzaccio aspro e vorace,
con gli occhi azzurri e mani troppo grandi
per regalare un fiore;
come un amore
con gelosia.
Da quest'erta ogni chiesa, ogni sua via
scopro, se mena all'ingombrata spiaggia,
o alla collina cui, sulla sassosa
cima, una casa, l'ultima, s'aggrappa.
Intorno
circola ad ogni cosa
un'aria strana, un'aria tormentosa,
l'aria natia.

La mia città che in ogni parte è viva,
ha il cantuccio a me fatto, alla mia vita
pensosa e schiva.

TRIEST

Ich habe die ganze Stadt durchquert.
Dann bin ich eine Gasse hinaufgegangen,
die zuerst bevölkert, dann menschenleer
und von einem Mäuerchen umfriedet war:
ein kleiner Winkel, wo nur ich
sitze und wo mir scheint, wo sie endet,
da endet die Stadt.

Triest hat eine spröde
Anmut. Gefällt es,
ist es wie ein ruppiger, hungriger Schlingel
mit blauen Augen und Händen, zu groß,
um eine Blume zu schenken;
wie eine Liebe
mit Eifersucht.
Von dieser Gasse aus entdecke ich jede Kirche,
all ihre Straßen, ob sie zum überfüllten Strand
führen oder auf den Berg, an den sich,
auf dem felsigen Gipfel, ein letztes Haus klammert.
Ringsumher,
um all das,
weht ein seltsamer Wind, ein quälender Wind,
der heimische Wind.

Meine Stadt, die überall lebendig ist,
hat einen Winkel für mich geschaffen,
für mein nachdenkliches und scheues Leben.

URLAUBSTAG

WEISHEIT DES TAGES

„Nicht die Sünde wurde geboren, als Eva den Apfel pflückte. Geboren wurde an diesem Tag vielmehr eine großartige Tugend, Ungehorsam genannt.“

Oriana Fallaci

ZUNGENBRECHER DES TAGES

Una rana nera e rara sulla rena errò una sera.*

* Ein schwarzer und seltener Frosch irrte einen Abend auf dem Strand umher.

SONG DES TAGES

Sei come un juke-box

Edoardo Bennato

REISEESSAY DES TAGES

EINE EMPFINDSAME REISE IM AUTOMOBIL – VON VENEDIG NACH RIMINI

Otto Julius Bierbaum

An Herrn Max Schillings in München
Padua im Hotel croce d'oro, den 16. Mai 1903.

Lieber Herr Schillings! Ich habe Ihnen schon auf dem Markusplatze allerhand Schönes vom Reisen im Laufwagen erzählt. Verzeihen Sie, wenn ich mich nun schriftlich in Einigem wiederhole. Eine Reise wie die unsre hat doppelten Reiz, weil hier das Reisen an sich, gewissermaßen die Technik des Reisens, neu ist. Man reist fast mit dem Entzücken des Kindes, das zum ersten Mal Eisenbahnfahren darf.

Nach der längeren Pause in Venedig fühlen wir dies wieder stärker. Unsern Adlerwagen haben wir in Mestre wie ein befreundetes lebendes Wesen begrüßt, und wir waren sehr glücklich, ihn bei gutem Befinden wieder zu sehen. Unser Führer hatte ihn schon von Venedig aus öfters besucht und ihm allerhand Gutes, so auch einen neuen Reifen angedeihen lassen. Schon dieses persönliche Verhältnis zum Objekt ist angenehm und nicht etwa eine Last. Es ist halt doch auch eine Liebe, und deren Betätigung ist immer angenehm. Daher haben, glaube ich, Frauen mehr Glücksgefühl im Leben, weil sie es besser als Männer verstehen, auch Objekte liebreich zu behandeln.

Die Fahrt von heute hatten wir ein paar Tage vorher bereits mit der Eisenbahn gemacht, und so können wir nun einmal genau abmessen, wie verschieden stark die Eindrücke derselben Landschaft sind, wenn man sie im Eisenbahnwagen und wenn man sie im Automobil genießt. Der Unterschied ist sehr groß, so groß etwa wie der Unterschied einer flüchtigen und einer intimen Bekanntschaft. Im Eisenbahnwagen fährt man eigentlich nur an einer Landschaft vorbei, im Laufwagen bewegt man sich mitten in ihr. Sagt man im Eisenbahnwagen zu den Schönheiten eines Landes „Guten Tag!“ und „Lebewohl!“ in einem

Atemzuge, so gewährt der Laufwagen die Möglichkeit, sich mit ihr gemütlich zu unterhalten. Nichts ist unterhaltender als solch eine Unterhaltung, zumal, wenn es sich, wie hier, verlohnt, d. h. wenn die Gegend etwas zu sagen hat. Die Ufer der Brenta von Mestre bis Padua sind landschaftlich nicht weiter „interessant"; es ist eine weite sehr fruchtbare Ebene, gartenartig bebaut; was ihr den besonderen Reiz verleiht, sind die außerordentlich zahlreichen alten Landsitze der venezianischen Adelsfamilien, die sich die Straße und damit den Fluß entlang hinziehen, zuweilen in ununterbrochener Kette, zuweilen mit Meiereien abwechselnd. Viele dieser Besitzungen zeichnen sich durch architektonisch schöne Herrenhäuser aus, deren einige die Größe und das Ansehen von Schlössern haben. Auffällig ist der reiche bildhauerische Schmuck. Überall, auf den Toren, Mauern, Giebeln, in den Gärten: Statuen, meist wohl aus der Zopfzeit und leider recht häufig übertüncht, aber auch noch in diesem Zustande lustig anzusehen. Ausgedehnte Vorgärten, oft mit Zitronen- und Orangenbäumen in Tonkübeln besetzt, schützen das Herrenhaus vor dem Staub und Lärm der Straße, und hinter den Häusern dehnen sich Parks mit wundervollen alten Bäumen aus. Alles atmet Vornehmheit bei durchaus ländlichem und ungezwungenem Wesen. Die repräsentative Würde der Palazzi blieb der Stadt vorbehalten; nur das Schloß bei Malcontenta und der Schloßkomplex von Strà machen eine Ausnahme davon. Das Schloß von Strà ist außerhalb Italiens (wie dieser ganze Strich) wenig bekannt, aber eine große Sehenswürdigkeit, die wir uns natürlich nicht entgehen ließen. Es wurde von einem aus der mächtigen venezianischen Familie der Pisani Anfang des achtzehnten Jahrhunderts gebaut, kam 1808 in den Besitz Napoleons, dann an das Erzhaus der Habsburger, dann an das königliche Haus Savoyen und wurde schließlich als Monumentum nationale von der italienischen Regierung übernommen. Es ist ein Vergnügen, diese schier endlosen Zimmerfluchten mit ihren hohen, schönen Zimmern zu durchschreiten, die architektonisch und in der Wandbemalung meist rein im Stile vom Anfang des 18. Jahrhunderts sind, während ihre Möblierung, von der Anwesenheit des erlauchtesten Schloßherrn von Strà, Napoleons, her, Empirarbeit ist. Im Schlafzimmer Napoleons wird eine Sänfte gezeigt, in der sich der zum Diktator Europas gewordene korsische Advokatensohn soll ins Bad haben tragen lassen. Ich erinnerte mich, als ich dies hörte, an den schönen Napoleonskopf Canovas, dessen Modell wir in Bassano gesehen hatten, und ich hatte, wie es einem zuweilen begegnet, blitzartig eine fast visionäre Vorstellung: den nackten brauen Körper des Erben der Revolution mit dem Cäsarenkopfe, hingestreckt in die gelbseidenen Kissen des Tragstuhles. Dieses Bild wird für mich immer mit dem Schlosse Strà verbunden bleiben. Dies und der Zitronengarten mit seinen Hunderten wohlgepflegter Zitronenbäume aller Arten. Der uns führende Gärtner erzählte, daß 68 verschiedene Sorten Zitronen hier gezogen werden, darunter auch die riesigen Pompeani, die sich bis zur Größe kleiner Kürbisse auswachsen. Es sind wunderbare Schaufrüchte, aber ungenießbar. Das saftige Zellenfleisch, das bitterer schmeckt als das Fleisch der gewöhnlichen Zitrone, ist im Vergleich zu der Schale, die außerordentlich dick ist, sehr spärlich. Wir maßen den Durchmesser einer Frucht und fanden ihn 12 Zentimeter groß, wovon auf das Fleisch kaum sechs Zentimeter kamen. Was bei der gewöhnlichen Zitrone eine dünne Scheidehaut zwischen Fleisch und Schale ist, bildet hier das Hauptvolumen der Frucht in Form einer porösen, ziemlich trockenen, weißen Masse. – Zu Wächtern des Zitronengartens in Strà ist der ganze griechische Olymp bestellt. Die steinernen Götter, die aus dunklem Glanzgrün goldig leuchtenden Früchte passen gut zusammen. Übrigens sind die alten Götter hier zu Lande noch nicht tot; sie leben noch in der Sprache des Volkes, das seine Rede gern mit einem „per Bacco!“ oder „per Diana!“ bekräftigt. – In Padua haben wir, wie sich’s gehört, zuerst dem heiligen Antonius einen Besuch gemacht. Wir trafen es gut, da der Freitag der Tag des Heiligen ist und die Franziskaner dem Andenken ihres großen Ordensbruders gerade die feierliche wöchentliche Verehrung darbrachten. Sie schritten in langer Reihe an seinen Altar und knieten dort nieder, dann begann ein langer Wechselgesang, etwas näselnd von Seiten der Mönche, aber in wunderbarer Stimmfülle von der Orgelempore her; eine fast fröhliche Melodie, man möchte sagen ein heiliger Marschgesang.

Rimini, den 20. Mai 1902, im Aquila d’oro.
Das Meer lockte uns nach Rimini, – der Luftschlauch unsres rechten Hinterrades verschaffte uns indessen die Bekanntschaft der adriatischen See schon bei Cervia. Eben, als wir durch diesen kleinen Ort fuhren, ertönte ein zaghafter Knall, und Meister Riegel, der für jede Regung an seinem Wagen ein untrügliches Gehör hat, erklärte: Jetzt ist ein Schlauch hin! Um die Arbeit des Schlauchwechselns ungestörter vornehmen zu können, bogen wir querfeldein und waren aufs Schönste überrascht, als wir plötzlich unvermutet die blaue Flut der See erblickten, angesichts deren die Reparatur schnell von statten ging. Wir suchten unterdes Muscheln, photographierten ein paar Krabbenfischer und dankten dem Pneumatik, daß es an so angenehmem Orte das Zeitliche gesegnet hatte. Kaum einen halben Kilometer weiter aber wiederholte sich, was Vischer die Tücke des Objekts genannt hat, und wir sorgten für Abwechselung, indem wir den Schaden diesmal zwischen blühenden Lupinenfeldern und etwa fünfzig meist hübschen Bauernmädchen ausbesserten, die im Pfingststaate um uns herumstanden und allerliebst erstaunte Gesichter machten. Es war also auch hier keine große Fatalität weiter. Eine schlimmere hätte uns

aber fast erreicht infolge eines Defektes an der Pumpe. Zum Glück stellte sich dieser gerade kurz vor Rimini heraus, sodaß wir noch eben ins Hotel gelangen konnten, wo unser unermüdlicher Führer sofort daran ging, den Schaden zu beseitigen, während wir dem Seebade einen Besuch machten. Über dem leuchtenden Blaugrün des Wassers lag schwarzblau ein schweres Wetter, und die Brandung war viel stärker, als wir es vom adriatischen Meere erwartet hatten. Leider kam das Wetter von der See ans Land, und wir mußten uns ins Hotel flüchten. – Hinter Ravenna sind wir am ersten Pinienwalde vorbeigekommen; es ist derselbe, den schon Dante und dann Byron gepriesen hat. Er mag aber wohl noch zu Byrons Zeiten mächtiger gewesen sein, als er es heute ist. Nach deutschen Begriffen würde man es noch keinen Wald nennen. Für uns ist der Wald ein ganzes Volk von Bäumen; dies hier ist höchstens eine Generalversammlung. Freilich von erlauchten Vertretern der Gattung, und man muß gestehen, daß eine Silhouette von grün-schwarzen Pinienhäuptern gegen den blauen Himmel gesehen etwas großartiges, eine ruhige Vornehmheit hat, die feierlich stimmt. Unsere spitze Fichte würde in diese runde Landschaft durchaus nicht passen; hier ist es ästhetische Notwendigkeit, daß sich alles wellig ausbreitet oder wölbt. Aus diesem Grunde ist es wohl auch zu erklären, daß der italienische Kirchturm im allgemeinen nicht spitz, sondern abgeplattet ist, und daß die Gotik sich in Italien dauernd nicht behaupten konnte.

Wie liebenswürdig naiv das italienische Landvolk ist, haben wir immer wieder Gelegenheit zu beobachten. Niemals, wenn wir genötigt sind, auf freier Straße zu Reparaturen Halt zu machen, wird auch nur eine Bewegung der Schadenfreude bemerkbar, geschweige denn, daß ein höhnisches Wort laut würde. Diese guten Leute haben nur den einen Wunsch: daß man ihnen imponiere. Deshalb sind wir hier in Italien längst davon abgekommen, den wirklichen Preis unseres Adlerwagens zu nennen, wenn man uns darum frägt. „10 000 Lire? O? Nur 10 000 Lire? Hm, hm, hm.“ Das macht ihnen gar keinen Spaß. Man muß 30 000 sagen, dann sind sie zufrieden. – Bei Cervia wollten wir einem jungen Burschen, der beim „Abmanteln“ geholfen hatte, Geld geben, er aber bat sich un sigaro tedesco aus, – nicht um ihn zu rauchen, sondern ihn aufzuheben als ein Ding, das so weit her gekommen sei. – Überhaupt ist das Landvolk hier durchaus nicht so auf Geld erpicht, wie es die Bevölkerung der großen italienischen Städte, zumal der viel von Fremden besuchten, bekanntlich in einem fatal hohen Grade ist. Für Muscheln, die sie uns, unaufgefordert, gesucht hatten, wollten die Leute durchaus nichts nehmen. „Nur als Andenken, Signori, damit Sie wissen, daß wir poveri hier doch auch was schönes haben!“ Meine Frau ist über das alles sehr glücklich, und ich meine, sie hat ein Recht dazu. Die Italiener, unverdorben, sind ein prächtiges Volk, nicht bloß äußerlich. Sie haben Stolz und Bescheidenheit zugleich. Das nenn ich antiken Charakter. – Und die Décadence der romanischen Rasse? Zeitungsschreiberworte. Wo die Leute durch die Not degeneriert sind, in den großen Städten und in den verelendeten Landstrichen, sind sie natürlich ein Bild der Verkümmerung, aber nicht mehr, als die gleich Unglücklichen bei uns, – eher weniger, denn sie besitzen die glückliche Gabe, unter einem freigiebigen Himmel zu wohnen, weniger Bedürfnisse und eine Religion zu haben, die ihnen kein Kopfzerbrechens macht, sondern ihnen oft eine schöne Komödie, ebenso lustig für die Sinne, wie lieblich fürs Gemüt, bietet. Dazu weniger „Bildung“, als bei uns, aber mehr leichter Sinn und eine angeborene Lebensweisheit: Unzufriedenheit ist Dummheit. „Laß dir die Sonne in den Mund scheinen, und du hast Gold im Munde.“ Die „Signori“ sind ihnen im allgemeinen nicht Gegenstände des Neides, sondern eines gewissermaßen künstlerischen Interesses. Diese Leute denken gar nicht daran, wenn sie unsern roten

Adlerwagen sehen, sich zu sagen: ach, wenn wir doch auch so dahinfahren könnten, sondern sie rufen laut und freudig aus: Wie schön ist das! Ah! Wie schön! Und die Signora! Seht nur den Hut und Schleier! Und da ist dann der Evviva! Evviva! kein Ende. Evviva la benzina (so nennen sie das Automobil)! Evviva gli signori! – Am meisten bewundern sie Riegel, unsern Führer. Ein Riese! Ein deutscher Riese! Und was er alles kann! Seht, der verstehts, zu fahren! Er allein lenkt diesen Wagen und läßt ihn jetzt schnell, jetzt langsam fahren. Das will gelernt sein! Das ist mehr als Gras mähen! – Und wie wißbegierig sie sind. Regelmäßig, wenn wir abends wo eingestellt haben, versammelt sich der halbe Ort um Riegel und wünscht durchaus in den Mechanismus eingeweiht zu werden, wobei ein jeder ohne weiteres bereit ist, zu helfen, ohne dabei an ein Trinkgeld zu denken. – Auf dem Lande ist das bei uns in manchen Gegenden ja wohl auch so, aber es fehlt diese angenehm lebendige Art und Heiterkeit. – Riegel freilich hat wenig Geschmack daran. Für ihn sind die Italiener ein durchaus verdächtiges Volk, und er schwört darauf, daß sie allesamt nur auf Diebstahl und Heimtücke aus sind. „Ich sag Ihne, Herr Bierbaum, jeder von dene Halunken hat 's Messer im Sack. Da muß mer aufpasse!" Vor allem aber findet er es tadelnswert an ihnen, daß sie nicht deutsch verstehen. Sonst ein sehr guter (und durchaus nicht dummer) Mensch überschüttet er die Unglückseligen, die ihm ihre Dienste wortreich, aber natürlich nicht auf Frankfortsch, anbieten, mit massiven Grobheiten, die sie ihrerseits für Belehrungen hinnehmen, sehr bedauernd, daß es ihnen nicht gegeben ist, sie zu verstehen. – Ich hoffe, daß der Gute nach und nach menschlicher von diesen braven Leuten denken lernen und mit der Erfahrung nach Hause zurückkehren wird, daß auch die Italiener zwar nicht mit einem echten Frankfurter zu vergleichen, aber immerhin Menschen sind.

REZEPT DES TAGES

Loup de Mer mit Artischocken-farce, Spinat und Tomatencrostini

Zutaten

600 g	Loup-de-Mer-Filet, ohne Haut, von großem Fisch
8	violette Artischocken, geputzt, in Scheiben geschnitten
100 ml	mildes ligurisches Olivenöl Extra Vergine
	Fior di Sale
½	Eigelb
	schwarzer Pfeffer
300 g	große Spinatblätter, geputzt
4	Scheiben Ciabatta, dünn geschnitten
1	Knoblauchzehe
1	reife Tomate
	etwas Oregano, getrocknet

ZUBEREITUNG

- Artischocken langsam mit etwas Olivenöl und Salz in Pfanne mit Deckel schmoren, bis sie weich sind. Pürieren, durch ein Sieb passieren. Eigelb unterrühren. 1 EL Olivenöl zugeben. Mit Pfeffer abschmecken.

- Spinat blanchieren, abschrecken und mit einem Tuch abtrocknen.

- Fisch in 4 Portionen schneiden, salzen, pfeffern.

- Spinat auf Klarsichtfolie auslegen. Fisch in die Mitte legen. Artischockenfarce auf dem Fisch verteilen. Mithilfe der Folie in den Spinat einwickeln; Folie entfernen. Fischpäckchen 10 Minuten in Dampf garen.

- Inzwischen Brotscheiben, mit Olivenöl bepinselt, im Backofen bei 160 °C knusprig backen. Leicht mit Knoblauchzehe, dann mit Tomate bereiben. Etwas Oregano daraufstreuen. Fisch mit Olivenöl, Fior di Sale und Crostini anrichten.

URLAUBSTAG

WEISHEIT DES TAGES

„Eine wirklich emanzipierte Frau braucht ihre Emanzipation nicht zu plakatieren. Sie ist für sie so selbstverständlich wie Pulsschlag und Atemluft.“

Giulietta Masina

ZUNGENBRECHER DES TAGES

Sei gnomi mangiano sei gnocchi con gli occhi.*

*Sechs Kobolde essen sechs Gnocchi mit den Augen.

SONG DES TAGES

Caruso

Lucio Dalla

REZEPT DES TAGES

Malfatti: Parmesan-Spinat-Nocken

Zutaten

250 g	Magerquark, gut ausgepresst
200 g	Blattspinat
1	Bund Petersilie, gehackt
1	kleine Zwiebel
50 g	geriebenes, entrindetes Weißbrot
2	Eigelb
1	Zweig Thymian
1	Prise Muskat
30 g	Parmesan
1 EL	Butter (und weitere nach Bedarf)
1 EL	feiner Grieß
15 g	weiche Butter
	etwas abgeriebene Zitrone
	Salz, Pfeffer, Muskat

ZUBEREITUNG

- Butter in der Pfanne zergehen lassen, den gewaschenen und getrockneten Spinat in der Pfanne nur zusammenfallen lassen. Grob hacken und mit zum ausgedrückten Spinat in eine Schüssel geben.
- Den Parmesan reiben und zur Seite stellen. Alle anderen Zutaten kommen in die Schüssel und werden miteinander geknetet. Dann Kugeln formen ungefähr in der Größe eines Tischtennisballs.
- In Salzwasser pochieren und anschließend mit geriebenem Parmesan bestreuen.
- Wer mag, träufelt noch gebräunte Butter darüber.

URLAUBSTAG

WEISHEIT DES TAGES

„Was Kinder betrifft, betrifft die Menschheit!“

Maria Montessori

ZUNGENBRECHER DES TAGES

Postino che porti la posta, dimmi postino che posta portasti.*

* Briefträger, der du die Post bringst, sag mir, Briefträger, was für Post du gebracht hast.

SONG DES TAGES

Il Ragazzo Della Via Gluck

Adriano Celentano

SERA DI LIGURIA

Vincenzo Cardarelli

Lenta e rosata sale su dal mare
la sera di Liguria, perdizione
di cuori amanti e di cose lontane.
Indugiano le coppie nei giardini,
s'accendon le finestre ad una ad una
come tanti teatri.
Sepolto nella bruma il mare odora.
Le chiese sulla riva paion navi
che stanno per salpare.

LIGURISCHER ABEND

Langsam und rosig steigt der ligurische
Abend
aus dem Meer empor, Auslöschung
liebender Herzen und ferner Dinge.
Die Paare verweilen noch in den Gärten,
eins nach dem andern werden die Fenster hell
wie lauter Bühnen.
Im Dunst begraben duftet das Meer.
Die Kirchen am Ufer sehen aus wie Schiffe,
die gleich auslaufen wollen.

APERITIF DES TAGES

Wermut Tonic

Pro Glas

5 cl	**Wermut**
	Tonic Water (nach Belieben)
	Limettenachtel

Den Wermut in ein Longdrinkglas mit Eis und dem Limettenachtel geben. Danach mit Tonic Water auffüllen.

URLAUBSTAG

WEISHEIT DES TAGES

„Ich interessiere mich sehr für die Zukunft, denn ich werde mit ihr den Rest meines Lebens verbringen."

Milva

ZUNGENBRECHER DES TAGES

Trentatré trentini entrarono a Trento, tutti e trentatré trotterellando.*

* Dreiunddreißig Tridentiner gingen nach Trient hinein, alle dreiunddreißig trabend.

SONG DES TAGES

La torre di Babele

Edoardo Bennato

REISEESSAY DES TAGES
MAGGIORE AUSLASSEN
—
REISE AUGUST / SEPTEMBER 1911
Franz Kafka

Dienstag 29. August (1911)

Dieses schöne Zimmer mit Balkon. Die Freundlichkeit. Zu sehr eingesperrt von Bergen. Ein Mann und 2 Mädchen, in Wettermänteln, hintereinander, gehn am Abend durch die Halle mit Bergstöcken, als sie schon alle auf der Treppe sind, werden sie durch eine Frage des Zimmermädchens aufgehalten. Sie danken, sie wissen schon Bescheid. Auf eine weitere Frage über ihre Bergpartie: Es war aber auch nicht so leicht, das kann ich Ihnen sagen. In der Halle schienen sie mir aus Miss Dudelsack, auf der Treppe Max aus Ibsen, mir dann auch. Vergessener Gucker. Auf der Bahn erfährt man, daß sogar eine alte Dame nach Genua fährt. Jungen mit Schweizer Fahne. Seebad im Vierwaldstätter See. Ehepaar. Rettungsring. Spaziergänger auf der Axenstraße. Schönstes Bad, weil man sich selbständig einrichten konnte. Fischerinnen in weißgelbem Kleid. Einsteigen in die Gotthardbahn. Reuß.

Milchgemischtes Wasser unserer Flüsse. Die ungarische Blume. Die dicken Lippen. Exotische Linie vom Rücken zum Hintern. Der schöne Mann dort bei den Ungarn. Bespuckt in Italien den Boden mit Weintraubenschalen, die aber dem Süden zu verschwinden. Jesuitengeneral auf dem Bahnhof in Göschenen. Plötzliches Italien, hingeworfene Tische vor den Osterien, ein junger Mann in allen Farben, der sich nicht halten konnte, Handbewegungen der Abschied nehmenden Frauen (Nachahmung einer Art Zwickens), schwarze hochgekämmte zur Seite eines Bahnhofes, hellrosa Häuser, verwischte Aufschriften. Später verschwindet das Italienische oder der Schweizer Kern tritt vor. Frauen in den Bahnwächterhäuschen, erinnert an Kampf. Tessinfälle, ruckweise Fälle überall. Deutsches Lugano. Lärmende Palästra. Post neu gebaut. Hotel Belvedere. Koncert im Kurhaus. Kein Obst.

(...)

3. September (1911) Sonntag

Ein Deutscher mit Goldzahn, an dem sich ein Beschreiber auch bei sonstiger Unklarheit des Eindrucks festhalten kann, bekommt um ¾ 12 noch eine Eintrittskarte in die Schwimmanstalt, trotzdem sie um 12 gesperrt, worauf ihn gleich im Innern der Schwimmeister in unverständlichem, daher etwas strengen Italienisch aufmerksam macht. Durch dieses Italienisch auch innerhalb seiner Muttersprache verwirrt fragt der Deutsche staunend warum man ihm dann eine Fahrkarte bei der Kassa verkauft habe und beklagt sich, daß man ihm eine Fahrkarte verkauft hat, und führt an, man hätte ihm keine Fahrkarte mehr verkaufen dürfen. Aus der italienischen Antwort hört man durch, daß er ja noch fast eine ¼ Stunde zum Baden und Anziehn Zeit habe. Thränen geweint. – Auf dem Faß im See gesessen. – Hotel Belvedere „Alle Anerkennung dem Wirt, aber das Essen miserabel".

4 September (1911)

Cholerainformationen: Verkehrsbureau, Corriere della Sera, Norddeutscher Lloyd, Berliner Tageblatt, Stubenmädchen bringt Informationen eines Berliner Arztes, je nach der Gruppierung und dem eigenen körperlichen Zustand ändert sich der durchschnittliche Charakter dieser Nachrichten, bei der Abfahrt von Lugano nach Porte Ceresio 1 05 ist er ziemlich günstig. – Flüchtige Begeisterung für Paris, im Wind der den vor uns gehaltenen Excelsior vom 3 Sept. 11 bläht, mit dem wir zu einer Bank laufen. – Auf der Brücke über den Luganosee sind noch einige Plätze für Reklametafeln zu vermieten. –

Freitag: die 3 Kerle treiben uns von der Schiffspitze weil vielleicht der Steuermann freien Ausblick auf das Licht vorn haben muß, schieben dann aber eine Bank heran und setzen sich selbst — Ich hätte gern gesungen.

Freitag (1. September 1911)

Unter den Augen des Italieners, der uns zur Reise nach Turin (Ausstellung) räth und dem wir zunicken, durch Handschlag bekräftigter gemeinsamer Entschluß um keinen Preis nach Turin zu fahren – Lob der reducierten Karten. Radfahrer macht Rundfahrten auf der Seeterrasse eines Hauses in P. Ceresio — Peitsche die statt des Riemens nur ein kleines Schwänzchen aus Rosshaar hat – Fahrender Radfahrer hält ein neben ihm trabendes Pferd an einem Strick.

Mailand: Führer in einem Geschäft vergessen. Zurückgegangen u. gestohlen – im Hofe der Mercanti Apfelstrudel gegessen – Gesundheitskuchen – Theatro Fossati – Alle Hüte und Fächer in Bewegung – Lachen eines Kindes in der Höhe – Programm verklebt durch einen Reklamezettel – eine ältere Dame im Männerorchester – Poltrone – Ingresso – Orchester in einer Ebene mit dem Zuschauerraum – Reklame von Lancia aufgenommen in die Plafonddekoration eines Salons – alle Fenster der Rückwand offen – großer starker Schauspieler mit zart getupften Nasenlöchern, deren Schwarz auffallend bestehen bleibt, wenn auch die Ränder des zurückgebogenen Gesichtes im Licht verschwimmen – Mädchen mit hohem dünnen Hals läuft mit kurzen Schritten und steifen Ellenbogen aus dem Zimmer und läßt die zum hohen Halse passenden hohen Stöckel ahnen. Überschätzung des Lachens, denn vom nichtverstehenden Ernstsein zum Lachen ist es weiter als vom eingeweihten Ernstsein — Bedeutung jedes Möbelstückes – 5 Türen in beiden Stücken für jeden Fall – Nase und Mund eines Mädchens niedergeleuchtet von den gemalten Augen. – Herr in der Loge öffnet beim Lachen den Mund bis zu einem rückwärtigen Goldzahn, der dann den Mund ein Weilchen so offen hält. Auf andere Weise nicht zu erreichende Einheit zwischen Bühne und Zuschauerraum, wie es jene ist, die sich für und gegen den Zuschauer bildet, der die Sprache nicht versteht.

(…) Zuerst einen Gedanken niederschreiben, dann vorlesen, nicht vorlesend schreiben, da dann nur der im Innern vollzogene Anlauf gelingt, während das weiter noch zu schreibende sich losmacht. – Gespräch über Scheintod und Herzstich an einem Kaffeehaustischchen auf dem Domplatz. Mahler hat auch den Herzstich verlangt. Die beabsichtigte Zeit des Aufenthaltes in Mailand schrumpft unter diesem Gespräch trotz eines kleinen Widerstandes von meiner Seite sehr zusammen. – Der Dom belästigt mit seinen vielen Spitzen. – Entwicklung des Entschlusses nach Paris zu fahren: der Augenblick in Lugano über dem Excelsiof, Reise nach Mailand infolge des nicht ganz freiwilligen Einkaufes der Karten nach Mailand über Porte Ceresio, von Mailand nach Paris aus Angst vor der Cholera und aus dem Verlangen nach Belohnung für diese Angst. Überdies Berechnung der financiellen und zeitlichen Vorteile dieser Reise

I Rimini – Ostende – Genua Nervi (Prag)

II Oberital. Seen, Mailand (Prag) Genua (Schwanken zwischen Locarno u. Lugano)

III Maggiore auslassen, Lugano Mailand, Städtereise bis Bologna

IV in (Lugano) Lugano – Paris

V Lugano – Mailand (mehrere Tage) – Maggiore

VI in Mailand: direkt nach Paris (ev. Lontaine- bleau)

VII ausgestiegen in Stresa damit bekommt die Reise zum erstenmal einen guten Rückblick und Vorblick, sie ist ausgewachsen und wird deshalb um die Taille gefaßt – so klein wie in der Galerie habe ich Menschen niemals gesehen – Max behauptet, die Galerie sei nur so hoch, als man auch im Freien Häuser sieht, ich leugne es mit einem vergessenen Einwand, wie ich mich überhaupt immer für diese Gallerie einsetzen werde. – Sie hat fast keinen überflüssigen Schmuck, hält den Blick nicht auf, scheint infolgedessen sowie auch infolge ihrer

Höhe kurz, erträgt aber auch das – sie bildet ein Kreuz, durch das die Luft frei weht – vom Dach des Domes aus scheinen die Menschen gegenüber der Gallerie größer geworden – ich kann mich mit der Gallerie vollständig darüber trösten, daß ich die altrömischen Überbleibsel nicht gesehen habe – (...)

5 Sept. (1911)

– Fahrt nach Stresa. Die Reliefbewegungen der im gefüllten Coupe Schlafenden – Liebespaar

Nachmittag in Stresa, Mittw. 6 Sept. Böswerden, abend Erfindungen u. Hotels. Donnerst. 7 Sept. Bad, Briefe, Abfahrt. – Schlaf in der Öffentlichkeit – Freitag 8 Sept. Reise Italienerpaar, angebliche Frau Salus – Geistlicher – Amerikaner – die 2 kleinen Französinnen mit viel Fleisch um den Popo, Montreux (...)

Dickes kleines Mädel, das sich häufig in der Nase bohrt, gescheit aber nicht besonders hübsch ist, eine Nase ohne Zukunft hat, Waltraute heißt und von der ein Fräulein sagt daß sie etwas Strahlendes habe. (...) Junges italienisches Ehepaar im Zug nach Stresa mischt sich mit einem andern im Zug nach Paris. Ein Ehemann ließ sich nur küssen und gab beim Hinausschaun aus dem Fenster nur seine Schulter für ihre Wange her. Als er in der Hitze den Rock auszog und die Augen schloß schien sie ihn genauer anzusehn. (...)

Ein Mensch der kein Tagebuch hat, ist einem Tagebuch gegenüber in einer falschen Position. Wenn dieser z. B. in Goethes Tagebuch liest, daß dieser am 11. Januar 1797 den ganzen Tag zuhause mit verschiedenen Anordnungen beschäftigt, so scheint es diesem Menschen, daß er selbst noch niemals so wenig gemacht hat.

REZEPT DES TAGES

Polenta mit Scampi und Venusmuscheln

Zutaten

300 g	Maisgrieß, ich nehme „Ottofile“
1 kg	Venusmuscheln
100 g	grobkörniges Salz
1 kg	Scampi (mit Scheren)
1 l	Gemüsebrühe
12 EL	Olivenöl extra vergine
	Salz und Pfeffer
3	Knoblauchzehen
150 g	glatte Petersilie (Bund samt Wurzel)
½	Chilischote
50 g	Butter
100 g	Parmesan
1	Zweig Thymian
250 g	Brokkoli
50 g	Petersilie

ZUBEREITUNG

- Gut gewaschene Muscheln und grobkörniges Salz in einer großen Schüssel 1 Stunde in kaltes Wasser geben.

- Scampi-Köpfe abtrennen, Schwänze herausschälen.

- Lauwarme Gemüsebrühe und 2 EL Olivenöl in eine Kupfer- oder Stahlpfanne geben, salzen und pfeffern. Maisgrieß in kleinen Portionen unter ständigem Rühren mit dem Schneebesen dazugeben, es sollen sich keine Klumpen bilden. Pfanne auf die Herdplatte stellen und Polenta bei mäßiger Hitze abwechselnd mit Kelle und Schneebesen 40 Minuten immer wieder rühren.

- Muscheln absieben. 4 EL Olivenöl, 2 Knoblauchzehen, 1 Bund Petersilie samt Wurzelstock, 1 halbe Chilischote, die Köpfe der Scampi und die gewaschenen Muscheln in einer Bratpfanne bei geschlossenem Deckel so lange kochen, bis sich die Muscheln öffnen.

- Die Hälfte der Muscheln aus der Schale lösen. Den Fond durchsieben und zusammen mit den aus der Schale gelösten Muscheln, der Butter, dem geriebenen Parmesan und dem Thymian in die Polenta geben. Polenta abkühlen lassen, nach einer Stunde in eine mit Backfolie ausgekleidete Kuchenform geben und 30 Minuten bei 160 °C in den Backofen stellen.

- Brokkoli in leicht gesalzenem Wasser al dente kochen.

- 2 EL Olivenöl, 1 Knoblauchzehe, 50 g fein geschnittene Petersilie, Brokkoli und Scampi-Schwänze in einer Bratpfanne salzen, pfeffern und wenige Minuten bei mäßiger Temperatur garen.

- Polenta aus dem Ofen nehmen, Portionen in die Teller geben. Brokkoli, Scampi und die verbliebene Hälfte der Muscheln darüber verteilen. Teller mit einem Streifen Olivenöl und, wer mag, mit einem ganzen Scampo dekorieren.

FALLS SIE NOCH ETWAS LÄNGER URLAUB HABEN

MARCEL PROUST-FRAGEBOGEN

Wo möchten Sie leben?

Was ist für Sie das vollkommene irdische Glück?

Welche Fehler entschuldigen Sie am ehesten?

Was ist für Sie das größte Unglück?

Ihre liebsten Romanhelden?

Ihre Lieblingsgestalt in der Geschichte?

Ihre Lieblingsheldinnen/-helden in der Wirklichkeit?

Ihr Lieblingsmaler?

Ihr Lieblingsautor?

Ihr Lieblingskomponist?

Welche Eigenschaften schätzen Sie bei einer Frau am meisten?

Welche Eigenschaften schätzen Sie bei einem Mann am meisten?

Ihre Lieblingstugend?

Ihre Lieblingsbeschäftigung?

Wer oder was hätten Sie gern sein mögen?

Ihr Hauptcharakterzug?

Was schätzen Sie bei Ihren Freunden am meisten?

Ihr größter Fehler?

Ihr Traum vom Glück?

Was wäre für Sie das größte Unglück?

Was möchten Sie sein?

Ihre Lieblingsfarbe?

Ihre Lieblingsblume?

Ihr Lieblingsvogel?

Ihr Lieblingsschriftsteller?

Ihr Lieblingslyriker?

Ihre Helden der Wirklichkeit?

Ihre Heldinnen in der Geschichte?

Ihre Lieblingsnamen?

Was verabscheuen Sie am meisten?

Welche geschichtlichen Gestalten verabscheuen Sie am meisten?

Welche Reform bewundern Sie am meisten?

Welche natürliche Gabe möchten Sie besitzen?

Wie möchten Sie gern sterben?

Ihre gegenwärtige Geistesverfassung?

Ihr Motto?

VERZEICHNIS DER REISEESSAYS

MEIN PERSÖNLICHES REISETAGEBUCH ITALIEN
ist eine Produktion der Süddeutsche Zeitung GmbH, München, für die Süddeutsche Zeitung Edition, 2017

Herausgeben von Peter Graf www.walde-graf.de
WALDE+GRAF Verlagsagentur und Verlag GmBH

Projektmanagement: Till Brömer, Süddeutsche Zeitung Edition

Gesamtgestaltung: 2xGoldstein+Fronczek unter Mitarbeit von Erik Schöfer
[Icons made by freepik from www.flaticon.com]

Druck und Bindung: CPI books GmbH, Ebner & Spiegel Ulm
Printed in Germany

Als Teil des SZ-Literaturkoffers ITALIEN:
ISBN 978-3-86497-403-8 sonst ISBN 978-3-86497-410-6

Rezeptes des Tages
Seite 22: Panna Cotta mit Früchten / Quelle: Hans Gerlach – Das Rezept – Süddeutsche Zeitung Magazin // Seite 37: Artischocken aus dem Ofen / Quelle: Anna Sgroi – Restaurant »Anna Sgroi« in Hamburg. Das Rezept – Süddeutsche Zeitung Magazin // Seite 65: Vitello Tonnato / Quelle: Johanna Maier – Hotel »Hubertus« in Filzmoos. Das Rezept – Süddeutsche Zeitung Magazin // Seite 72: Pulpo auf Zucchinibett und Schmortomaten / Quelle: Ali Güngörmüs – Restaurant »Le Canard Nouveau« in Hamburg und Restaurant »Pageou« in München. Das Rezept – Süddeutsche Zeitung Magazin // Seite 78: Tiramisù – das Originalrezept / Quelle: Restaurant »La Beccherie« in Treviso. Das Rezept – Süddeutsche Zeitung Magazin // Seite 107: Loup de Mer mit Artischockenfarce, Spinat und Tomatencrostini / Quelle: Anna Sgroi – Restaurant »Anna Sgroi« in Hamburg. Das Rezept – Süddeutsche Zeitung Magazin // Seite 113: Malfatti: Parmesan-Spinat-Nocken / Quelle: Vincent Klink – Restaurant »Wielandshöhe« in Stuttgart. Das Rezept – Süddeutsche Zeitung Magazin // Seite 132: Polenta mit Scampi und Venusmuscheln / Quelle: Maria Luisa Scolastra – Restaurant "Villa Roncalli" in Foligno. Das Rezept – Süddeutsche Zeitung Magazin